이번 생에 되는 영문법

미드에 빠지면
토플이 풀린다2

리딩, 영문법편

미드에 빠지면 토플이 풀린다 2 **리딩, 영문법 편**

발행일	2025년 6월 7일		
지은이	송호영		
펴낸이	손형국		
펴낸곳	(주)북랩		
편집인	선일영	편집	김현아, 배진용, 김다빈, 김부경
디자인	이현수, 김민하, 임진형, 안유경	제작	박기성, 구성우, 이창영, 배상진
마케팅	김회란, 박진관		
출판등록	2004. 12. 1(제2012-000051호)	저작권등록번호	C-2025-011344
주소	서울특별시 금천구 가산디지털 1로 168, 우림라이온스밸리 B동 B111호, B113~115호		
홈페이지	www.book.co.kr		
전화번호	(02)2026-5777	팩스	(02)3159-9637
ISBN	979-11-7224-664-8 14740 (종이책)	979-11-7224-665-5 15740 (전자책)	
	979-11-6299-558-7 14740 (세트)		

(주)북랩 성공출판의 파트너

북랩 홈페이지와 패밀리 사이트에서 다양한 출판 솔루션을 만나 보세요!

홈페이지 book.co.kr • **블로그** blog.naver.com/essaybook • **출판문의** text@book.co.kr

---

작가 연락처 문의 ▸ ask.book.co.kr

작가 연락처는 개인정보이므로 북랩에서 알려드릴 수 없습니다.

이번 생에 되는 영문법

미드에 빠지면 토플이 풀린다2

리딩, 영문법 편

송호영 지음

★ 원어민 녹음 MP3 파일
무료 제공

미드《NCIS》97개 장면으로 토플 어휘와 표현을 완벽히 익힌다!

 북랩

1권 출간 후 어느덧 6년이란 시간이 지났습니다. 책 쓰는 과정은 쉽지만은 않은 것 같습니다. 1권에 이어 2권 출간 역시 만만치 않은 과정이었습니다. 2권은 1권과 동일한 특징 및 구성을 가지는 Part 01과 토플, 수능영어 및 영어학습에서 필요한 영문법을 다룬 Part 02로 구성되어 있습니다.

미드 대사를 통해 영어를 학습한다라는 취지는 1권과 동일하며 2권에서는 새로운 미드(NCIS: Naval Criminal Investigative Service)로 영어어휘 및 관용표현을 익히시며 새로운 점으로는 이 새로운 미드 대사와 팝송 가사를 통하여 영문법을 학습할 수 있다는 점일 것입니다.

Part II 영문법에서는 외국어로 영어를 배우는 한국인 영어학습자입장에서 영문법의 주요 내용을 새롭고 다른 관점에서 설명한 부분이 있다는 점과 미드 대사를 통해 실제 미국사람이 말하는 생생한 문장을 통하여 좀 더 살아있는 문법을 학습하시며 수월하게 영문법을 학습하실 수 있도록 내용을 구성하였기 때문에 영문법학습에 많은 도움이 되리라 생각됩니다. 이번 책도 토플, 수능영어 및 영어학습에 도움이 되길 기원합니다.

2025년 5월

송호영

Contents

PART 01 토플이 풀리는 관용표현과 어휘

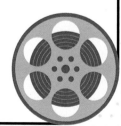

PART 02 영어가 풀리는 영문법(이번 생에 되는 영문법)

이 책의 구성

1. 미드 속 97개 장면에서 찾은 토플 표현과 어휘

〈NCIS:Naval Criminal Investigative Service〉 시리즈에 등장하는 토플 핵심 빈출 어휘를 97개로 추렸다.

미드의 시즌 및 에피소드 번호, 등장 시간을 실어두어 실제 미드 장면을 찾아보는 것도 가능하다.

2. 무료로 제공되는 원어민 녹음 MP3 파일

표지 앞날개의 QR 코드를 태그하거나 저자의 블로그에 접속하여 미드 MP3 파일을 다운로드 받으면 미드 Scene 번호에 맞춰 제작된 미드 대화를 들을 수 있다. 듣기까지 훈련할 수 있을 것이다.

3. 영영 사전 풀이

우리말 뜻 아래에 영영 풀이를 수록했다. 같이 읽으면 바꿔 쓸 만한 단어나 어구를 익혀 둠으로써, 패러프레이징(Paraphrasing) 능력까지 키워보자.

4. 토플엔 이렇게 나온다

토플에 빈출되는 문장을 한글로 번역하여 수록하였다. 표현 및 어휘를 학습하고 나면 토플 작문도 수월해질 것이다.

 5. 미드 Scene 설명

누가 보더라도 대화를 이해할 수 있도록 장면 설명을 덧붙였다. 본 적 없는 미드라도 충분히 파악할 수 있다.

 6. 문법(Part 02 영문법)

초급자의 눈높이에서 수월하게 학습하시기 위한 친절한 설명과 체계적 구성으로 되어있으며 중고급학습자를 위해서도 실력향상에 도움이 되는 내용(심화학습)을 실었다.

문법사항 중 암기해야 하는 사항은 이미지연상법, 두문자 이용 쉽게 암기할 수 있도록 하였고 또한 영어시험에 나오는 핵심내용도 짚었다.

NCIS 등장인물 소개

🎞️ **해군과 해병대에 연루된 범죄들을 해결하는 NCIS 요원들.**

Katlin Todd(시즌 1~2출연), Timothy McGee(시즌 1~22 출연), Dr. Donald 'Ducky' Mallad(시즌 1~21 출연), Leroy Jethro Gibbs(시즌 1~19 출연), Leon Vance 국장(시즌 4~22 출연), Dr. Jimmy Palmer(시즌 1~22 출연), Abby Sciuto(시즌 1~15 출연), Tony DiNozzo(시즌 1~13 출연), Ziva David(시즌 3~11 출연), Nick Torres(시즌 14~22 출연), Alden Parker(시즌 19~22 출연), Kasie Hines(시즌 15~22 출연), Eleanor Bishop(시즌 12~13 출연), Jaqueline sloane(시즌 15~18 출연), Tobias Fornell(시즌 1~16, 18~21 출연), Jessica Knight(시즌 18~22 출연)

PART 01

토플이 풀리는
관용표현과 어휘

Day 1

abound

~이 많다, ~이 풍부하다

to exist or occur in abundance; be plentiful

토플엔 이렇게 나온다

랭커셔와 스코틀랜드에 수력 발전이 풍부합니다.

미드 | ## Scene 1

Dr. Donald Ducky Mallad: You know, the interesting thing about the
sternutatory reflex is that no one knows exactly when it first began.
Many theories abound.

Dr. Donald Ducky Mallad: 재채기 반응(반사작용)에 대한 흥미로운 건 그 누구도 정확히 그것이 처음 언제 시작된 건지 모른다는 거지. 이론이 많이 있어.

<NCIS> S3_EP19 00:06

미드 | ## Scene 설명

부검하는 중 Dr. Donald Ducky Mallad가 동료(후배)검시관인 Dr. Jimmy Palmer에게 말하는(어느 한 사람이 재채기하면 이를 본 상대방이 "God bless you"라고 말하는 이런 반응) 장면.

absorbed
흡수된

① To take (something) in through or as through pores or interstices
② engrossed; deeply interested

토플엔 이렇게 나온다

토양은 미네랄의 원천이며, 식물은 토양의 물과 함께 이 미네랄을 흡수합니다.

미드 | **Scene 2**

Abby Sciuto: It was so deep that the fragments were absorbed by the flesh.

Abby Sciuto: 너무 깊어서(너무 깊게 찔러서) 그 조각들이 살에 흡수되어 있었어요.

<NCIS> S10_EP15 00:25

미드 | **Scene 설명**

미드 Scene 2: Dr. Donald Ducky Mallad가 행한 해병(피해자)의 시신을 부검한 결과에 더하여 Abby Sciuto가 새로 발견한 사실에 대해 Leroy Jethro Gibbs와 Abby Sciuto가 대화하는 장면.

account for ~

~을 설명하다, (주어가) ~의 원인이 되다

① To constitute the governing or primary factor in
② To provide an explanation or justification for

토플엔 이렇게 나온다

초기 경험(유아시절)을 기억하지 못하는 사람의 무능력함을 어떻게 설명할 수 있을까요?

미드 │ Scene 3

Dr. Donald Ducky Mallad: That would account for a few inches.

Dr. Donald Ducky Mallad: 그렇게 하는 거(구호조치)는 조금만(몇 인치) 옮기는 경우에 설명이 되는 거지(말이 되는 거지).

<NCIS> S1_EP22 00:04

미드 │ Scene 설명

절벽에서 래펠 훈련 중 안전고리가 부러져 추락사한 Johnson 대위 사체가 있는 현장에서 (현장 보존 차원에서 현장을 건드리지 않기 마련인데) 시체가 많이 옮겨진 거에 대해 Dr. Donald Ducky Mallad 박사가 의아하게 생각하자 추락한 Johnson 대위의 구호 조치 차원에서 다른 분대원들이 그랬다고 중령이 대꾸하고 Dr. Donald Ducky Mallad 박사가 말하는 장면.

참고하세요

미드에 빠지면 토플이 풀린다 1권에도 나온 어휘인데 토플 리딩섹션 동의어 찾는 문제 유형에 나오기 때문에 미드에 빠지면 토플이 풀린다 2권에도 수록하였습니다.

adjacent

인접한, 이웃한

① Close to; lying near
② Next to; adjoining

토플엔 이렇게 나온다

소멸된 지방 소도시(마을) 인구는 인접한 지역 사회 이주자들로 빠르게 대체됩니다.

미드 | Scene 4

Ziva David: No surveillance cameras, no line of sight from adjacent buildings.

Ziva David: 감시 카메라(CCTV)도 없고 직선거리의 인근 건물에서 보이지 않아요.

<NCIS> S8_EP17 00:03

미드 | Scene 설명

Oliver Proman(NCIS경제사범 수사과소속) 살해 사건의 범행 현장인 주차장에서 단서가 될 것을 찾으면서 McGee 요원과 David 요원이 대화하는 장면(주변 건물에서도 보이지 않는다고 말하는 장면).

allude to ~

~에 관해 말하다

① to refer indirectly, briefly, or implicitly
② (loosely) to mention

토플엔 이렇게 나온다

일반적으로 말하게 되는 홍보(PR)전략은 마케팅 전략과 겹치지 않는(중복되지 않는) 전략입니다.

미드 | Scene 5

Ernie Malik: Of course. Um, as, uh, Jimmy alluded to, I have extensive knowledge of metallurgy.

Ernie Malik: 예, 지미가 말했듯이 저는 금속에 방대한 지식이 있어요.

<NCIS> S19_EP19 00:27

미드 | Scene 설명

노포크기지 해군숙소 연쇄 무단침입사건과 관련하여 탱(Tand Carl) 대위의 사인에 대해 수석특수요원 Alden Parker, Dr. Jimmy Palmer 그리고 원격 화상으로 연결된 Ernie Malik이 대화하는 장면

apart from ~

~은 별개의 것으로 하고, ~은/는 개별적으로

except for

토플엔 이렇게 나온다

이 시골 지역에서는 사람들이 생존을 위해 서로에게 의지했습니다. 어려운 환경에서 이웃들은 서로 돕고 지원해야 했기에 자랑하는 것처럼 보이는 것을 삼가며 이웃과 별개처럼 보이는 어떠한 것도 피하고 싶을 것입니다.

미드 Scene 6

Dr. Donald Ducky Mallad: Well, apart from the obvious, he took a tumble down the hill.

Dr. Donald Ducky Mallad: (내가 좀 전에 말한) 명백한 것은 별개의 것으로 하고 그(병장)가 언덕 아래로 굴렀다는 거야.

<NCIS> S2_EP20 00:04

미드 | Scene 설명

학교 캠퍼스에서 살해된 해병대원이 발견되어 현장에 출동한 NCIS요원 중 Leroy Jethro Gibbs와 Dr. Donald Ducky Mallad가 의견을 교환하던 중 Dr. Donald Ducky Mallad가 말하는 장면.

as if ~

~(경우)처럼

① In the same way that it would be if
② like

토플엔 이렇게 나온다

발굴로부터 얻은 부유 샘플이 식물학자들로 하여금 마치 망원경을 통해 변화하는 풍경을 보는 것처럼 식물 채집 습관의 변화를 연구할 수 있도록 하였습니다.

미드 | Scene 7

Kasie Hines: The print of her ring finger is backwards, as if she's holding the murder weapon like this, which is physiologically impossible.

Kasie Hines: 약손가락의 지문이 뒤(반대 방향)를 향하고 있어요. 마치 그녀가 살인 무기(권총)를 이렇게 들고 있는 것처럼요. 이건 생리학적으로 불가능해요.

<NCIS> S17_EP05 00:33

미드 | Scene 설명

피 묻은 총 손잡이에 남아 있는 지문 중 약손가락의 비정상적인 지문에 대해 얘기하는 장면

(수면장애가 있는 Alimonte Laney 상병이 아침에 깨어서 집안 냉장고 문을 열었는데 피 묻은 권총을 발견함).

as opposed to ~

~과(와)는 대조적으로, ~과(와) 전혀 다르게

① in contrast to
② Instead of

 토플엔 이렇게 나온다

단편소설(미국 소설가 James Joyce) 컬렉션의 모든 이야기는 의식의 흐름으로 전개되며 쓰여 있는데 그 단편소설 이야기들은 화자의 생각을 통해 대화나 사건의 객관적인 묘사와는 달리(반대로) 내면의 독백을 통해 전개됩니다.

미드 | Scene 8

Dr. Donald Ducky Mallad: As opposed to what?

Dr. Donald Ducky Mallad: (상대적으로) 뭐에 대해서 흥미롭다는 거지?

<NCIS> S1_EP14 00:08

미드 | Scene 설명

Dr. Donald Ducky Mallad가 살인 피해자를 부검(검시)하면서 Gerald(동료 검시관)과 대화하는 장면(Dr. Donald Ducky Mallad가 같은 사회(세상)에서 한 편으로는 질병 치료법을 개발하고 또 다른 한편에서는 어떻게 이런 손상을 주는 총알을 개발하는지 안타깝다고 말하면서 덤덤탄(총알) 유래와 국제평화회의에서 덤덤탄을 국제적으로 금지시켰다는 얘기를 하는데 이 얘기를 들은 Gerald의 '흥미롭다'라는 반응에 말라드 박사가 말하는 장면).

barely

간신히, 겨우, 거의 ~않고

① almost not
② only just

토플엔 이렇게 나온다

너무 시끄러워서 소리를 거의 들을 수 없습니다.

미드 | Scene 9

Dr. Donald Ducky Mallad: Good god, Gibbs, I've barely met the deceased.

Dr. Donald Ducky Mallad: 나 참, 아직 시체 거의 못봤어(너무 성급한데).

<NCIS> S1_EP01 00:08

미드 | Scene 설명

비행중인 대통령 전용기에서 갑자기 사망한 해군 중령 시신에 대해 Gibbs 와 Ducky 박사가 대화하는 중 Leroy Jethro Gibbs가 성급하다고 Dr. Donald Ducky Mallad가 말하는 장면

better off ~

~(하는 편이) 더 낫다

In a better or more prosperous condition

 토플엔 이렇게 나온다

앞에 놓여있는 길의 험준함을 고려할 때, 안전 헬멧을 착용하는 것이 더 나을 수 있습니다.

미드 | Scene 10

Major Sacco: I've served with Atlas before. In my opinion, we're better off without him.

Major Sacco: 전에 Atlas와 함께 복무했었는데 제 의견으로는 그가 없는 편이 더 낫습니다.

<NCIS> S1_EP20 00:16

미드 | Scene 설명

(소형 핵nuclear weapon을 다룰 줄 아는) 해병 특무상사 Atlas의 실종사건 관련하여 그의 주변 인물을 조사하는 중 그의 상관인 Sacco 소령과 Leroy Jethro Gibbs가 대화하는 장면.

Day 11

breathtaking

깜짝 놀랄 만한

① Astonishing; astounding
② causing awe or excitement

 토플엔 이렇게 나온다

그는 숨 막히는(깜짝 놀랄 만한) 속도로 영화를 완성했습니다.

미드 | Scene 11

Timothy Macgee: Breathtaking.

Timothy Macgee: 깜짝 놀라겠네(기가 막히네).

<NCIS> S7_EP11 00:03

미드 | Scene 설명

웨스트버지니아 애팔래치아 산맥에서 발견된 해군 조종사시체를 조사하러 간
현장에서 시체를 보자 Timothy Macgee가 말하는 장면.

bring ~ to the table
~ 제시함으로써 공여(기여)하다

To provide or offer a useful skill or attribute to a shared task, activity, or endeavor

토플엔 이렇게 나온다

그들은 그들이 깨달은 바와 아이디어를 내놓음으로써 서로 서로의 학식 발전에 기여하였습니다.

미드 | Scene 12

Nick Torres: All right, all I'm saying is that I bring a lot to the table, all right?

Nick Torres: 내가 하고 싶은 말의 전부는 나는 그냥 갖다줄 게(공여/기여하는 게) 많다구요.

<NCIS> S20_EP09 00:01

미드 | Scene 설명

사무실에 출근하며 Nick Torres이 Jessica Knight한테 말하는 장면.

bulk

대부분, 대량

Size, mass, or volume, especially when very large

 토플엔 이렇게 나온다

인도와 중국까지 항해하는 데 드는 비용과 번거로움을 정당화하기 위해 향신료와 같은 고가의 상품도 대량으로 운송해야 했습니다

미드 | Scene 13

Timothy Macgee: keep it over there. please. Backing up three years of case files. The bulk of our lives is in these cables right now, flying back and forth in zeroes and ones.

Timothy Macgee: 거기서 멈춰 있어요(그거 여기로 갖고 오지 마요), 제발. 사건 파일들 3년 치를 백업하는 중이에요. 우리 인생(기록)의 대부분은 이 케이블 안에 있죠, 0과 1로서 앞으로 뒤로 왔다갔다 하면서.

<NCIS> S5_EP14 00:16

미드 | Scene 설명

3년간 사건자료 백업을 하는 중인 Timothy Macgee가 커피를 들고 있는 Tony Dinozzo에게 커피가 본인 컴퓨터로 쏟아져서 컴퓨터 불능 또는 오류가 발생하여 데이터를 날릴까봐 자기자리로 오지말라고 주의를 주면서 대량의(방대한) 데이타에 빗대어 사람의 인생을 얘기하는 장면.

참고하세요

① be 동사 다음에 나올 수 있는 말 중 하나

- 명사(또는 명사 역할 하는 to-v, 동명사)

- 형용사(또는 형용사 역할 하는 현재분사, 과거분사, to-v)

- 부사 또는 형용사 역할하는 전치사구(위 예문 The bulk of our lives is in these cables)

② 분사구 주절 서술어의 동작과 동시에 이뤄지는 동작(~these cables right now, flying back and forth in zeroes and ones)을 나타내거나 주절의 내용 다음 나타나는 결과(주절의 내용으로 인해 나타나는 결과가 분사구로 표현됨 → I quit smoking, making it easy for me to run)

central

중앙의, 주요한

main, principal, or chief; most important

토플엔 이렇게 나온다

과학자들이 지중해 분지 중앙의 가장 깊은 부분에 구멍을 뚫을 때, 그들은
핵심(core) 배럴(barrel)에서 단단하고 반짝이는 결정질 소금을 채취했습니다.

미드 | Scene 14

Leroy Jethro Gibbs: Because if it's a central system, all the
time stamps would be the same.

중앙 통제 방식이라면 (여러대의 CCTV에 찍힌 장면들)모든 시간표시가 같을 것이야

참고하세요

일반적인 내용(상식, 지식)의 경우 문장의 주어(행위 주체)를 you로 하기도 합니다.

<NCIS> S1_EP14 00:31

미드 | Scene 설명

그레이슨 카운티에서 Julius(해군 소령)이 살해된 살인사건의 단서를 찾고 있
는 과정에서 용의자 중 한 명인 Laura seeger는 살인이 일어나는 시간에 은행
CCTV에 의해 은행에 있는 모습이 포착되어 은행에 있었다는 알리바이가 있
게 되자 은행에서 쓰는 비디오 시스템(조작했었을 수 있음)에 대해 Leroy Jethro
Gibbs가 말하는 장면.

cliché

진부한 표현, 상투적인 문구, 진부한 사람

an expression idea, action, or habit that has become trite from overuse

 토플엔 이렇게 나온다

그가 세속적인 인물인지 아닌지 확인하려면, 그런 환경에서 사는 다른 사람들과 비교하여 그는 삶을 어떻게 다르게 보는지 생각해보시기 바랍니다. 그를 '산골 사람' 같은 진부한 말로 표현하지 않도록 주의하세요.

미드 | Scene 15

Clayton Reeves: When I was new, all these damn clichés would drive me crazy.

Mellisa Goodman: 신이 당신에게 시련을 가져다 준다면, 당신으로 하여금 그 시련을 통과시켜 데려다 줄 거다.

<NCIS> S15_EP05 00:25

미드 | Scene 설명

납치되었다가 풀려난 Mellisa Goodman과 NCIS요원 Clayton Reeves가 현자들의 격언 속담에 대해 대화하는 장면.

come down to~

결국~이 되다, ~으로 귀결(귀착)되다

① to amount to no more than something
② to be reduced to something

토플엔 이렇게 나온다

철새가 이동하는 이 전체 지역이 서식지라고 말할 것입니다. 왜냐하면 이 장
거리 여행에서 결국 먹이를 먹고 잠을 자는 것으로 귀결(핵심)되기 때문입니다.

미드 | Scene 16

Torsten(scientist): Three and a half years of work, and it all
comes down to a single proof of concept test.

Torsten(scientist): 3년의 연구 개발이 단 한 번의 개념 증명 테스트로 귀결(판정)되
는 거죠.

<NCIS> S4_EP11 00:06

미드 | Scene 설명

페어펙스의 연구소에서 일하는 Seabrook(해군 대위)이 죽은 채 발견되었는데
누군가 인공지능 자율주행 자동차 개발 임무를 수행 중인 이 해군 대위를 죽
이려는 의도로 이 자동차에 오작동을 일으키게 하여 결국 대위가 차 안에 갇
혀 죽은 채 발견되자 NCIS가 이를 수사하게 되고 Tony Dinozzo와 Seabrook(
해군 대위)의 동료(팀원)과의 대화 장면.

come into contact

접하다, 접촉하다

to touch someone or something

 토플엔 이렇게 나온다

다양한 문화들이 서로 접할 때 서로 서로의 혁신을 수용하고 이를 이용해왔습니다.

미드 | Scene 17

Abby Sciuto: It's an industrial-strength solvent that has a very interesting side effect. It carries whatever it comes into contact with directly into the bloodstream.

Abby Sciuto: 그것은 매우 흥미로운 부작용을 가지는(부작용이 있는) 고성능 산업용 용제에요. 무엇이든지 접촉하는거 곧바로 혈류로 운반해요.

<NCIS> S4_EP13 00:34

미드 | Scene 설명

John Maguire(해병 장교) 독극물 살해사건 관련하여 Abby Sciuto가 테러리스트 Mamoun Sharif의 화학무기 제조 원리를 설명하는 장면.

33

comprehensive

포괄적인, 종합적인

① of broad scope or content; including all or much
② of large scope; covering much; inclusive

토플엔 이렇게 나온다

종합적인 참고 자료를 찾고 있다면, 온라인이든 오프라인이든 찾을 수 있을
것입니다.

미드 | Scene 18

Dr. Donald Ducky Mallad: He's trying to paint a picture. A
comprehensive picture of her need for retribution against
La Grenouille.

Dr. Donald Ducky Mallad: 그는(Tobias Fornell) 그림을 그리고자했어(사건에 대한 퍼
즐을 맞추고자 했어). La Grenouille에 대해 보복하고자 하는 그녀(Jenny Shepard)욕
구에 대한 전체적인(포괄적인) 그림이지.

<NCIS > S5_EP14 00:13

미드 | Scene 설명

La Grenouille 살인과 관련하여 Tobias Fornell(FBI요원)이 찾아와 NCIS가 그
랬다는 증거를 내세우며 NCIS 요원들을 한 명씩 조사하는데 Jenny Shepard
국장이 그의 살인 사건의 주요 용의자로 지목되고

Dr. Donald Ducky Mallad 박사와 Leroy Jethro Gibbs가 조사를 받은 후 이
에 대해 둘이서 의견을 교환하는 장면.

concentration

농도, 농축

① intense mental application; complete attention
② something that is concentrated

토플엔 이렇게 나온다

전문가들은 그곳(달)에 얼음이 있을 가능성이 높다고 생각합니다. 또한, 나중의 임무를 통해 얻게 된 데이터에 따르면 양쪽 극지방에서 상당한 농도의 수소와 지하 1미터 미만의 물이 발견되었습니다

미드 | Scene 19

Dr. Donald Ducky Mallad: The concentrations of methanol confirmed my suspicions. The reason I was unable to determine the cause of death (중략).

Dr. Donald Ducky Mallad: 메탄올의 농도가 내 의혹(의문)을 확인시켜 주었어. 내가 사인을 판정하지 못했던 이유는…

<NCIS> S1_EP09 00:28

미드 | Scene 설명

죽은 남편(Jim소령)의 미망인(Sarah)이 이미 죽은 남편(누군가 남편행세)의 전화를 받은 후, NCIS 팀은 그 전화가 장난이었는지 아닌지 밝히기 위해 조사에 착수하게 되는데 Dr. Donald Ducky Mallad가 시신(Jim의 시신)을 검시한 후 소견을 NCIS 팀원들에게 설명하는 장면.

참고하세요

The reason (why) I was unable to~ why 생략됨

count

중요성을 지니다, 가치가 있다

to have value, importance, or influence

토플엔 이렇게 나온다

전문화, 특화된 사회인 만큼 언론에서 일을 할 때는 과학, 경영, 기술 관련 전공이 가치가 있습니다.

미드 | Scene 20
───────────────────────────────

Katlin Todd: But, Tony, if you're happy with the way you are, that's all that counts.

Katlin Todd: 그런데, Tony, 현재 있는 그대로의 모습(상태)에 만족한다면 그게 중요한 거야(그거면 되는 거야).

<NCIS> S1_EP11 00:02

미드 | Scene 설명
───────────────────────────────

Katlin Todd와 Tony Dinozzo가 본인들 몸무게 관련하여 대화하는 장면.

counterpart

대응하는(대비되는) 상대

One that has the same functions and characteristics as another; a corresponding person or thing

토플엔 이렇게 나온다

유전자 변형 나무는 자연 나무보다 더 단단하도록 설계되었습니다. 즉, 변형
되지 않은 나무(counterpart)보다 생존 가능성이 더 높습니다. 그러나 이 얼음
없는 복도에 대한 믿음은 고생물학자 글렌 맥도날드가 얼음 없는 복도의 존
재를 뒷받침하는 데 사용된 가장 중요한 방사성 탄소 연대 측정법 중 일부가
잘못되었다는 것을 증명하면서 무너지기 시작했습니다.

미드 | Scene 21

Timothy Macgee: All I had to do was tear down the firewalls and
align the virtual images with their true counterparts.

내가 해야만 했던 것이라곤 방화벽 무너뜨리고 진짜(하드디스크)들을 이용해서 대
응하는 가상이미지(하드디스크)를 정렬하는 것이었어요.

<NCIS> S6_EP02 00:21

미드 | Scene 설명

IT장교로 함공모함 보안망 책임자인 Evans 대위의 자살로 보이는 사건에 대
한 조사하는 과정에서 Timothy Macgee가 항공모함의 네트워크에 접속시도
성공 후 말하는 장면.

crumble

무너지다, 부서지다

to come apart in pieces

토플엔 이렇게 나온다

이 얼음 없는 이주 통로(길)에 대한 믿음은 고생물학자 글렌 맥도날드가 얼음 없는 이주 통로(길)의 존재를 뒷받침하는 데 사용된 가장 중요한 방사성 탄소 연대 측정법 중 일부가 잘못되었다는 것을 증명하면서 무너지기 시작했습니다.

미드 | Scene 22

Leroy Jethro Gibbs's former wife: And work, the one place where you were really alive, well, couldn't have that, so you had to build up walls there, too. And that is the reason that I am really here, Jethro, 'cause now those walls are starting to crumble.

Leroy Jethro Gibbs's former wife: 활기를/활력있던 장소(직장)에서 그렇게(활력 있게) 할 수 없었지. 거기서 역시 마음의 벽을 쌓아야 했는데 그게 바로 내가 여기에 온 이유야, Jethro, 그 벽은 무너지기 시작할테니.

<NCIS> S16_EP24 00:40

미드 | Scene 설명

전처가 피습당한 충격은 너무나도 컸다. 예전 같았으면 활력을 느꼈을 직장에서도 그는 마음의 벽을 쌓게 된다. 전처의 영혼은 Leroy Jethro Gibbs에게 정신적인 위안과 안정 등 도움을 주기 위해 도움을 주기 위해 이승을 떠나지 못하고 Jethro Gibbs 곁에 나타나는데 Leroy Jethro Gibbs와 전처의 영혼(깁스의식상에서 나타나는 전처의 영혼)이 대화하는 장면

참고하세요

~that is the reason that I am really here ~
why 대신 that 사용됨

culminate ~

~로 절정에 달하다

to reach the highest point or degree; climax

 토플엔 이렇게 나온다

초기 문명의 부상(떠오름)에 중요한 자극제는 농업의 발전이었으며 이로 인한 인류 공동체 조직의 일련의 변화는 고대 대제국의 부상(떠오름)으로 절정에 달했습니다.

미드 | Scene 23

School principal: As you know, this year Outreach Day culminates in a very special event.

School principal: 올해 Outreach Day(사회적 약자 돕는 날)는 특별한 행사가 대미를 장식합니다.

<Wednesday> S10_EP03 00:03

미드 | Scene 설명

주인공 Wednesday가 다니는 학교 교장이 Outreach Day의 행사에 대해 공지하는 장면.

cultivate ~

~배양하다, 기르다

① To acquire, develop, or refine, as by education
② To promote the growth of

토플엔 이렇게 나온다

지역주민들을 무료강의에 초대하는 것은 선의를 키우고(cultivate) 대학이 더 큰 공동체로부터 고립되는 것을 피하는 데 도움이 됩니다.

미드 | Scene 24

Ziva David: What we just witnessed here was, um, a pathetic attempt to cultivate new sources for office gossip.

Ziva David: 우리가 방금 여기서 목격한 것은 사무실 안에서 가십(얘기) 나눌 새 수단(사람)을 키우려 하는 애처로운 시도였던 거지.

<NCIS> S9_EP06 00:08

미드 | Scene 설명

NCIS 사무실에서 Tony Dinozzo가 신입 여직원한테 말을 걸자 Ziva David가 그 장면을 보고 말하는 장면(사무실 안에서 얘기 나눌 새 사람을 키우려 하는(개발하려는) 애처로운 시도라고).

Day 25

cut back

줄이다, 삭감하다

① To shorten by cutting; prune
② To reduce or decrease

 토플엔 이렇게 나온다

무성하게 자란 낙엽 관목은 이맘때쯤 다시 줄어들 수 있습니다.

미드 | Scene 25

Mr. Boone: Did you cut back on the caffeine like I told you?

Mr. Boone: 내가 말했던 대로 카페인을 줄였나?

<NCIS> S3_EP03 00:11

미드 | Scene 설명

사형을 앞둔 죄수(피해자들을 고문하고 살인한 연쇄살인범) Mr. Boone이 피해자
(Mr. Boone의 범죄피해자)의 사체를 유기한 장소에 대한 정보를 알아내기 위해
Leroy Jethro Gibbs는 상부로부터 이 죄수와 대화하라는 명령을 받는데 내키
지 않지만 마지못해 이 Mr. Boone 면회를 하게 되고 Mr. Boone과 대화를 하
게 되는 장면.

deceive
속이다

to mislead by deliberate misrepresentation or lies

 토플엔 이렇게 나온다

공기의 가열로 인해서 나타나는 mirage(신기루)에 대해 데카르트는 '이는 착시현상으로 마치 우리의 감각이 우리를 속이는 것이다'라고 말했습니다.

미드 | Scene 26

Tobias Fornell: and not once would I have guessed…
Grief counseling group's leader: He managed to deceive two women, but you think you're special?

Tobias Fornell: 그가 두 명의 배우자가 있다라는 거) 한 번이라도 생각해내지 못했는데(눈치 못 챘는데)
Grief counseling group's leader: 두 여자도 속인 사람인데 당신은 특별하다고 생각해요?

<NCIS> S19_EP17 00:25

미드 | Scene 설명

사망한 Thomas Miller(퇴역 해군 장교(소령))와 Grief counseling group(과거 슬픈 일에 대한 위로 조언 모임)에서 Thomas Miller와 친분을 쌓게 된 Tobias Fornell과 Grief counseling group의 리더가 Thomas Miller의 이중혼인한 사실에 관해 대화하는 장면.

참고하세요

부사(not once)가 문장 맨 앞에 위치하는 경우 주어와 동사의 도치가 일어나 주어 앞에 동사(이 문장에서는 would)가 있게 됨

delicate

섬세한, 미묘한

① exquisite, fine, or subtle in quality, character, construction, etc
② easily damaged or injured; lacking robustness, especially in health; fragile
③ sensitive in feeling or manner; showing regard for the feelings of others

토플엔 이렇게 나온다

사막과 접해 있는 반건조 지대는 섬세하게 존재합니다.

미드 | Scene 27

Abby Sciuto: I don't know if you're ready for this. It might upset your delicate sensibilities.

Abby Sciuto: 이 얘기에 (마음의) 준비가 되었는지 모르겠네요. 아마 섬세한 감수성 (감각)을 당황시킬지 몰라요.

<NCIS> S1_EP17 00:14

미드 | Scene 설명

Chris Gordon 하사(살인 피해자)의 사체에서 나온 라텍스와 라텍스를 애용하는 집단에 관해 얘기 듣는 Leroy Jethro Gibbs가 민감해할까 봐 배려차원에서 Abby가 말하는 장면.

demeaning
품위를 떨어뜨리는, 비하적인

To lower in status or character; degrade or humble

 토플엔 이렇게 나온다

사설의 어조는 비하적이었습니다.

미드 | Scene 28

Katlin Todd: Those pictures are demeaning. They make women look like sex objects.

Katlin Todd: 그런 사진들은 너무 (여성의) 격을 떨어트리는 거잖아. 그들은 여자를 성적 대상처럼 보이게끔 만든다고.

<NCIS> S2_EP18 00:33

미드 | Scene 설명

사진사 Jason Kaplan의 범죄연관성을 알아보기 위해 Tiffany Jordan 하사(살해당한 피해자)의 사진(하사가 이 사진을 남성잡지에 보내 이 사진이 잡지에 실렸음) 을 찍어줬던 사진사 Jason Kaplan을 만나러 가는 중 Katlin Todd와 Tony Dinozzo가 나누는 대화.

devoid of ~

~ 전혀 없는

Completely lacking; destitute or empty

 토플엔 이렇게 나온다

자연적으로 생겨난 식물(풀)을 미리 제거한 경우 재배하려는 작물의 실패는
광범위한 토지가 식물 덮개(덮힘)가 없고(devoid of) 바람과 물 침식에 취약한
상태로 되게 합니다.

미드 | **Scene 29**

Dr. Donald Ducky Mallad: And? In pursuits devoid of typical human contact.

Dr. Donald Ducky Mallad: 그리고? 사람과의 접촉을 안하는 걸 추구한 것 같아.

<NCIS> S5_EP09 00:31

미드 | **Scene 설명**

Dr. Donald Ducky Mallad와 그의 동료(후배) Dr. Jimmy Palmer가 살인사건
의 누명을 쓴 Brian Talyor(개명전 이름은 Brian Matthews)와 그의 아들 Carson
Matthews의 사진을 보며 프로파일링으로 Brian Talyor의 심리를 읽어내는
과정에서 대화하는 장면.

diverge

갈리다, 분기하다

To go or extend in different directions from a common point; branch out

토플엔 이렇게 나온다

판(플레이트)들은 지각과 지구 핵 사이의 층인 더 밀도가 높은 반액체 상태인 맨틀 위에 떠있습니다. 판에는 두 개의 판이 떨어져 나가고 새로운 해저가 생성되는 능선, 섭입대(두 개의 판이 충돌하고 하나가 다른 판 아래로 떨어지는 곳) 또는 변형 단층(두 개의 판이 수렴하거나 분기하지 않고 서로를 지나가기만 하는 곳)이 있는 가장자리가 있습니다.

미드 | Scene 27

Dr. Rachell Cranstern: Two roads diverged

Dr. Rachell Cranstern: 두 개의 길로 분기했어요(두 갈래 길로 나뉘었어요).

<NCIS> S8_EP14 00:25

미드 | Scene 설명

NCIS요원을 대상으로 실시하는 정기적 검사/평가인데 검사자(평가자) Dr. Rachell Cranstern가 Tony Dinozzo의 심리상태의 건강함을 판단하기 위해 Tony Dinozzo와 대화하는 장면(Rachell Cranstern 박사가 인생에 있어 뭔가 결정할 때 두 갈래 길이 있다고 말하는 장면)

Day 31

drag

~끌다

To pull along with difficulty or effort; haul

토플엔 이렇게 나온다

빙하는 엄청난 에너지로 땅을 천천히 가로질러 원래 위치에서 멀리 떨어진 곳
까지 이동하며 가장 단단한 암석층까지 잘라서 에 암석 파편을 집어삼키고,
밀고, 끌고, 마지막으로 퇴적하면서 풍경을 재구성합니다.

미드 | Scene 31

Darryl wilkins: I mean, I wasn't hip till this narc dragged me
down here.
Swear on my seeds, okay? We ain't whacked them.
Frank Trujillo: He's not lying to you. He didn't kill them.

Darryl wilkins: 난 이 마약단속관이 여기로 나를 끌고올 때까지 몰랐어요. 내 씨(자
식)들을 걸고 맹세해요. 우리가 그들을 공격하지 않았어요.
Frank Trujillo: 그가 당신한테 거짓말하는 거 아니에요. 그는 그들을 죽이지 않았어요.

<NCIS> S1_EP03 00:22

미드 | Scene 설명

Leroy Jethro Gibbs가 NCIS 검시실에서 두 마약조직 구역다툼 총격전에 휘
말려 억울하게 희생된 Farrell(해군commander)과 Frank Trujillo(마약조직 보스)
의 부하인 Garcia 형제(Jesus Garcia and Calos Garcia)의 시체를 Frank Trujillo
와 그의 라이벌 조직의 보스인 Darryl wilkins에게 보여주면서 대화하는 장면.

참고하세요

not until(til) 구문에서 부정어뺀 다음 until → after로 변환한 문장으로도 해석
해보시기 바랍니다.

48

dramatic

극적인

① striking
② like a drama in suddenness, emotional impact, etc

토플엔 이렇게 나온다

19세기 초 프랑스의 희극들은 상업적으로 성공하였습니다. 여기서 사용된 극적인 장치는 사실 새로운 것이 아니었습니다. 수세기 동안 존재해 왔습니다.

미드 | Scene 32

Nick Torres: You're being dramatic.

Nick Torres: 당신들 참 드라마틱하네요.

<NCIS> S14_EP14 00:02

미드 | Scene 설명

NCIS 본부 사무실에서 서로 마주보며 떨어진 Bishop의 자리(책상)와 Quinn 의 자리(책상) 중간즈음 Nick Torres가 서 있고 Nick Torres 옆에 바로 옆에 의자가 있는데 Nick Torres가 그 의자에 앉을 것인가 앉지 않을 것인가를 두고 Bishop과 Quinn 두 사람이 내기하였는데 이 내기에 대해 세 사람이 대화하는 장면(극적인 상황/연출 같은 거에 신경 쓰는 두 사람을 두고 한심하게(어이없다는 듯이) Nick Torres가 말하는 장면.

49

drop out

중퇴하다

① To withdraw from participation, as in a game, club, or school
② To withdraw from established society

토플엔 이렇게 나온다

연구에 따르면 부모가 이혼한 자녀는 고등학교를 중퇴할 가능성이 더 높다고 합니다.

미드 | Scene 33

Commander Turney: He had to drop out of the unit.

Commander Turney: 그(Donor병장)는 부대에서 빠져야 했습니다.

<NCIS> S8_EP21 00:16

미드 | Scene 설명

Ziva David와 Tony Dinozzo가 회의실에서 동료를 살해한 용의자 Donor 병장의 상관인 Turney 중령과 대화하는 장면.

encompass

둘러싸다, 아우르다, 포함하다

To form a circle or ring around; encircle

토플엔 이렇게 나온다

1988년 여름, 미국에서 가장 유명한 국립공원인 옐로스톤에서 발생한 산불은 두 달 넘게 불에 타 80만 에이커가 넘는 넓은 지역을 아우르며 확산되었습니다.

미드 | ## Scene 34

LTC(Lieutenant Colonel) Maya Leland: Large grid encompassing the area where Sergeant Kent's body was last seen.

LTC(Lieutenant Colonel) Maya Leland: 켄트병장의 시체가 마지막으로 보였던(발견되었던) 지역을 포함한 그리드 좌표의 넓은 지역에서 (발굴작업을 진행했어요).

<NCIS> S12_EP07 00:15

미드 | ## Scene 설명

Leroy Jethro Gibbs는 살해당한 George Hawkins(은퇴한 베트남 참전 해병 상사)의 사건 조사에 있어 Hawkins가 살아생전 친구인 Kent 병장(베트남전에서 실종됨)을 찾기 위한 노력을 했었으므로 Kent 병장이 관련성이 있다고 판단하여 Ellinoa Bishop에게 Kent 병장에 대해 알아보라고 지시하게 되었는데 Ellinoa Bishop이 Maya Leland 중령과 화상으로 대화하는 장면(Kent 병장 유해 수색작업에 대하여)

Day 35

endure ~

~ 참다, 견디다

To put up with; tolerate

토플엔 이렇게 나온다

알파인 툰드라는 특정 종류의 낮은 나무가 높은 바람과 매우 낮은 온도를 견딜 수 있는 지역입니다.

미드 | Scene 35

Dr. Donald Ducky Mallad: No, I'm afraid the only struggle this poor fellow endured was the one to breathe when he hit the bottom.

Dr. Donald Ducky Mallad: 안됐지만 이 불쌍한 친구가 한 일이라곤 바닥에 닿기 전에 숨을 참으려 버둥거린 것뿐이라네.

<NCIS> S1_EP04 00:32

미드 | Scene 설명

Dr. Donald Ducky Mallad가 바다 속에서 발견된 시신(Russel macdonald일병)의 부검 결과를 Leroy Jethro Gibbs에게 설명하는 장면

참고하세요

부정대명사 one의 쓰임
이론, 속담 등에서 사람을 지칭하기도 하며
정관사 또는 정관사+형용사가 앞에 붙어

앞서 언급된 명사의 반복을 피하면서

① 그 명사와 같은 종류이나 세부적으로 다른 종류(아종) e.g. blue teddy bear and yellow one

I have to select a large class or small one.

나는 규모가 큰 강좌 또는 작은 강좌를 선택해야 돼

I will take the blue one.

저는 파란걸로 할께요.

② 좀 전 언급 명사와 같은 종류의 명사인데 정확히 세부적으로 어떤 건지 상대방한테 인식시켜줄 때

I learned a lot from your lecture. Especially, the one about how to write an analytic essay.

당신 수업에서 많은 걸 배웠어요. 특히, 분석 에세이 쓰는 방법에 대한 수업이요.

engulf

~을 집어삼키다

to immerse, plunge, bury, or swallow up

토플엔 이렇게 나온다

빙하는 엄청난 에너지로 땅을 천천히 가로질러 원래 위치에서 멀리 떨어진 곳까지 이동하며 가장 단단한 암석층까지 잘라서 에 암석 파편을 집어삼키고, 밀고, 끌고, 마지막으로 퇴적하면서 풍경을 재구성합니다.

미드 | Scene 36

Newscaster: A fiery explosion has completely engulfed a Rosslyn convenience store.

Newscaster: 폭발로 인한 불길이 로슬린의 편의점을 완전히 집어삼켰습니다.

<NCIS> S4_EP07 00:31

미드 | Scene 설명

NCIS 요원들은 해병대 대령이 군 골프장에서 폭발로 사망하는 사건을 육군 범죄수사국(CID)의 도움을 받아 조사하는데 NCIS요원들이 CID대령과 함께 이 사건과 유사한 사건으로 여겨지는 폭발로 인한 편의점화재 사건 소식을 TV뉴스에서 보는장면.

evolution

진화, 점진적인 변화

A gradual process in which something changes into a different and usually more complex or better form

 토플엔 이렇게 나온다

미국 치타가 사라졌을 때, 그들이 프롱혼(pronghorn, 아메리카영양)의 진화에 미친 영향과 아마도 다른 피포식자 동물들에 미친 영향은 멈췄습니다.

미드 | Scene 37

Leroy Jethro Gibbs: The opposable thumb is one of the most important milestones in human evolution.

Leroy Jethro Gibbs: 마주보게 할 수 있는 엄지손가락은 인류 진화에 있어 가장 중요한 획기적인 사건들 중의 하나죠.

<NCIS> S2_EP13 00:03

미드 | Scene 설명

시신 검시중 엄지발가락 이식수술로 잘려나간 엄지손가락대신 엄지발가락을 꿰매어놓았다고 Dr. Donald Ducky Mallad가 Leroy Jethro Gibbs에게 설명하자 Leroy Jethro Gibbs가 반응하며 말하는 장면.

Day 38

exceptionally

예외적으로, 탁월하게

In a manner or to a degree that is unusual

 토플엔 이렇게 나온다

구름으로 덮힘(cloub cover)가 증가한 이유는 예외적으로 많은 양의 미시
(microscopic) 해양 식물 때문인 것으로 밝혀졌습니다.

미드 | Scene 38

CIA agent: All it takes is a third-world general on the payroll
or an exceptionally good forger.

CIA agent: 필요한 거 전부라곤 (급여명부, 급여주며 고용한) 제3세계 나라의 장군 또
는 위조에 예외적으로(탁월하게) 뛰어난 사람이죠.

※ 제3 세계 나라: 1960년대 미국을 필두로 한 자유진영과 소련을 필두로 한 공산
진영의 냉전에 가담하지 않고 중립을 표명한 개발도상국

<NCIS> S4_EP21 00:39

미드 | Scene 설명

Jenny sheppard NCIS국장은 La Grenouille(무기거래상)에 대한 정보를 입수
하기 위해 Troy Webster(제보자)를 혼자서 만나는데 이때 누군가 접선장소에
서 기다리고 있다가 Troy Webster에게 총격을 가하고 Troy Webster는 살해
당하게 되어 NCIS 팀은 이 사건을 조사하게 되는데 Jenny 국장이 CIA요원과
만나 무기거래상 La Grenouille와 그의 수하 Andre Jones의 무기 그리고 살
해당한 Troy Webster에 대해 대화하는 장면.

expand
확장하다, 확대하다

extend, swell, enlarge; spread out

토플엔 이렇게 나온다

미국을 가로지르면서 서쪽으로 이주하는 사람들로 인해 농업 생산이 확대되었습니다.

미드 | Scene 39

Dr. Donald Ducky Mallad: When it expanded on impact,

Dr. Donald Ducky Mallad: 피부 뚫을 때 퍼져서.

<NCIS> S1_EP14 00:14

미드 | Scene 설명

총격당한 피해자 Julius소령이 피습시 탄알이 피해자 몸속에 뚫고 들어가 어떻게 피해를 입혔는지 Leroy Jethro Gibbs에게 설명하는 장면.

expend

소비하다

to use up

 토플엔 이렇게 나온다

비버는 야행성으로 포식자에게 노출되는 것을 감수하고 야간에 많은 에너지
를 소비하는지에 관심을 보입니다.

미드 | Scene 40

Leroy Jethro Gibbs: Possible one round expended.

Leroy Jethro Gibbs: 아마도 한 발 소비(발사)되었군.

<NCIS> S17_EP05 00:03

미드 | Scene 설명

수면장애가 있는 Alimonte 상병이 아침에 깨어서 냉장고 문을 열었는데 피묻
은 권총을 발견하게 되어 NCIS가 Alimonte 상병 집으로 출동하게 되고 이 피
묻은 권총에 대해 Leroy Jethro Gibbs가 분석하는 장면.

expose ~

~ 노출시키다

① make something (that is hidden) visible
② to display for viewing; exhibit

 토플엔 이렇게 나온다

공생적 연관은 때때로 한 종이 의도치 않게 다른 종에 의해 노출된 먹이를 얻는 것을 포함합니다.

미드 | Scene 41

Leroy Jethro Gibbs: We think that your husband was killed because he was about to expose flaws in the side-scan prototype he was developing.

Leroy Jethro Gibbs: 부인 남편분께서 개발 중이었던 측면 감시 수중탐지기 원형(초도제품)의 결함을 막 노출시키려고(폭로하려고) 했던 거때문에 살해당했다고 생각합니다.

<NCIS> S1_EP11 00:35

미드 | Scene 설명

Leroy Jethro Gibbs와 Katlin Todd가 해군과 계약한 민간 사업체에 파견근무하는 Thomas Egan소령(무기 기술 고문) 살인 사건을 조사하는 과정에서 Thomas Egan 소령 부인의 집 방문하여 나누는 대화 장면.

extend ~

~(범위가)까지 이르다, 연장하다

To cause (something) to be longer, wider, or cover more area

토플엔 이렇게 나온다

오갈랄라 대수층은 텍사스 북서부에서 남부 사우스다코타까지 이르는 약 58
만 3,000평방킬로미터의 땅을 덮고 있는 사암층입니다.

미드 | Scene 42

Timothy Macgee: I don't think anyone's calling plan
extends that far.

Timothy Macgee: 땅 속까지 통화서비스가 되는 가입한 휴대전화 서비스 상품이 (
휴대폰에서 나가는 전파) 그렇게 멀리까지 뻗는다(이르다)고 생각 안 해요.

<NCIS> S3_EP04 00:24

미드 | Scene 설명

남북전쟁 때 묻힌 타임캡슐용 관 안에서 북부군 제복의 남자의 시신이 발견되
는데 NCIS요원들이 (Warren Sorrow해병(피해자)이 생매장되었다는 사실을 알게
되고 관 안 시신 옆에서 발견된 피해자 휴대폰을 포렌식작업한 결과 관 안에
갇힌 채 피해자가 휴대폰 전화시도를 했다라는 것에 대해 Timothy Macgee
가 말하는 장면.

Day 43

fall for ~

~에 넘어가다, 낚이다

① To feel love for; be in love with
② To be deceived or swindled by

 토플엔 이렇게 나온다

사람들은 그 농가를 보자마자 그 농가에 넘어갔습니다(매료되었습니다).

미드 | Scene 43

Katlin Todd: She's a reporter. I doubt she' fall for something like that.

Katlin Todd: 그녀는 기자야. 그런 말(Atlas의 말)에 속아 넘어갈 것 같진 않은데.

<NCIS> S1_EP20 00:10

미드 | Scene 설명

취조실에서 Gibbs가 5일 전 실종된 살해 피해자인 해병 특무상사 Atlas에게서 3주 전 특종 기삿거리를 얻으려 했던 Powers 기자와 대화하며 조사하는데 취조실 밖에서 다 들여다보이는 유리를 통해 이를 지켜보는 남자(해병 특무상사 Atlas)가 "여기자(Powers) 유혹하려 어떤 말이든 했을 거다"라고 말하는 Dinnozo와 Kate가 반응하는 장면.

Day 44

flap

펄럭이다, 날뛰다

to move or cause to move noisily back and forth or up and down

 토플엔 이렇게 나온다

기린만큼 큰 익룡은 아마도 너무 무거워 날개를 빠르게 펄럭이지 못했을 것입니다.

미드 | Scene 44

Dr. Hampton: You could have come into my lab flapping and quacking about miracles I failed to weave.

제가 시체 판정 소견을 내는 거에 실패한 거에 대해 흥분하고(날뛰고) 아는 체하면서 제 연구실에 오실 수 있었을 텐데요.

<NCIS> S5_EP04 00:34

미드 | Scene 설명

Dr. Donald Ducky Mallad가 미군 병리학연구소에서 얻은 시체검시 실습교육에 사용된 시체(살인피해자Marvin Hinton)가 자연사가 아니고 실제로는 살인의 희생자라는 사실을 알게되고 이 후 NCIS요원들은 이 살인사건 조사를 하게 되는데 NCIS검시실에서 Dr. Donald Ducky Mallad와 Dr. Hampton(Marvin Hinton 시신이 NCIS로 오기전 이 시신을 좀 소홀히 검시한 사람)이 대화하는 장면.

🌸 참고하세요

조동사(would/could/might(may))+have+p.p. 해석방법(→과거 상황 추정인데 조동사별로 어감이 조금씩 달라짐) could가 사용된 경우 "-수/-수도"가 한국어 해석에 포함되며 would가 사용된 경우 "-겠지(거의 확신적인 추측)"가 한국어 해석에 포함되고 may/might가 사용된 경우는 일상생활에서 많이 쓰이는데 would나 could가 사용되는 경우보다 가능성이 좀 떨어지는 경우 사용되며 "~지 몰라요"가 한국어 해석에 포함됨

You could have come into my lab(제 연구실에 오실 수 있었을 텐데요) vs You would have come into my lab(제 연구실에 오셨겠죠) vs You might(may) have come into my lab(제 연구실에 오셨을지 몰라요)

Day 45

fluctuate

오르락내리락하다

to change continually; vary irregularly; shift back and forth or up and down

 토플엔 이렇게 나온다

빙하기가 끝난 후 가용 자원은 급격히 오르락내리락하였습니다.

미드 | Scene 45

At 600km above planet Earth the temperature fluctuates between +258 and -148 degrees Fahrenheit.

행성 지구 위로 600㎞에서는 기온이 +258도(화씨)에서 -148도(화씨)를 오르락내리락한다.

<Gravity> 00:01

미드 | Scene 설명

영화 Gravity의 시작부분

guarantee

보장하다, 보증하다

① ensure
② To assume responsibility for the quality or performance of

 토플엔 이렇게 나온다

생태계의 수학적 모델은 다양성이 생태계의 안정성을 보장하지 않는다는 것을 시사합니다. 사실 그 반대입니다.

미드 | Scene 46

DEA agent: How many guys you know go out fishing in the middle of the night?
Leroy Jethro Gibbs: Me.
DEA agent: Well, I guarantee you, these two guys didn't.

DEA agent: 얼마나 많은 사람이 한밤중에 낚시하러 (여기로) 가(오)겠어요(흔치 않은 경우죠)?
Leroy Jethro Gibbs: 나요(속단하지 말라, 그럴 가능성이 없는 것은 아니라는 차원에서)
DEA agent: 당신(Leroy Jethro Gibbs)은 그러리라고 확신하지만 이 두 사람은 아닐걸요.

<NCIS> S1_EP03 00:07

미드 | Scene 설명

해변에서 발견된 살해피해자 두 명에 대해 사건현장에 먼저 도착한 DEA요원과 Leroy Jethro Gibbs의 대화 장면.

Day 47

haul ~
~ 운반하다, 움직이다

to pull or draw with force; drag; carry

토플엔 이렇게 나온다

일부 산업 지역에서는 바퀴가 달린 무거운 짐을 실은 마차들이 금속 레일을
따라 말들에 의해 운반되고 있었고, 공장에서 증기 기관은 연기를 내뿜고 있
었습니다.

미드 | Scene 47

Rowman(Chris Gordon's friend): Cue the dry ice. Tell Gordon
to haul ass.

Rowman(Chris Gordon's friend): 드라이아이스사용 신호(드라이아이스를 이용하여 연
기가 만들어지는 상황연출)를 하고 Gordon에게 엉덩이 떼고 움직이라고 말해.

<NCIS> S1_EP17 00:38

미드 | Scene 설명

남자화장실에서 Chris Gordon 상사가 시체로 발견되는 사건이 발생하여서
NCIS가 사건조사에 들어가고 Chris Gordon 상사가 죽기 전에 다른 동료들과
함께 Wong하사를 대상으로 장난치려는 계획을 세우고 계획한 일을 공터에서
실행하는 중 우발적인 사고를 당하여 Chris Gordon 상사가 죽게 되는데 사고
사 당시 상황을 보여주는 장면.

honor

~을 기리다, ~ 예의를 갖춰 대하다To show respect for

토플엔 이렇게 나온다

그 화석은 발견된 나라를 기리기 위해 공식적으로 파키세투스라고 명명되었
습니다.

미드 | Scene 48

Dr. Donald Ducky Mallad: We'll get you cleaned up and
presentable in a way that honors your service.

Dr. Donald Ducky Mallad: 우리가 당신의 복무를 기린다는 차원에서(식으로) 당신
을 씻기고 (누구에게도) 선보일 수 있는 모습으로 할거에요.

<NCIS> S1_EP22 00:05

미드 | Scene 설명

절벽에서 래펠 훈련 중 추락사한 Johnson 대위의 사건현장에 온 Ducky 박사
가 시체(Johnson)한테 말하는 장면.

67

hypothesis

가설

A tentative explanation for an observation, phenomenon, or scientific problem that can be tested by further investigation

 토플엔 이렇게 나온다

처음에는 그럴듯했지만, 해수면과 관련된 단순한 기후 변화 가설만으로는 모든 데이터를 설명하기에 충분하지 않습니다.

미드 | Scene 49

Tony Dinozzo: This hypothesis states that the fate of transplanted embryonic cells is independent of their new position in the embryo.

Tony Dinozzo: 이 가설은 이식된 태아 세포들의 운명은 그들의 새로운 처지(상황)와 관계없다라고 말하고 있어요.

<NCIS> S4_EP07 00:14

미드 | Scene 설명

Tony Dinozzo가 여성과의 데이트에서 말하는 장면.

if anything
오히려, 뭔가 있다면

suggesting tentatively that something may be the case

 토플엔 이렇게 나온다

이 약물은 중독성이 없으므로 복용량을 계속 늘려도 괜찮습니다. 오히려 그 반대의 경우도 마찬가지입니다(복용량을 늘려도 중독성이 없습니다).

미드 | Scene 50

Leroy Jethro Gibbs: Nope. No. In fact, if anything, it was a little too neat.

Leroy Jethro Gibbs: 아뇨, 없어요. 사실, 오히려(뭔가 말할 게 있다면), 좀 너무 깔끔하다는 거지요.

<NCIS> S1_EP14 00:33

미드 | Scene 설명

Leroy Jethro Gibbs가 살인피해자(Julius 소령)의 용의자인 Laura Seager(Julius 소령부인)의 집 1차 방문조사 한 이후 추가조사를 위해 2차 방문하여 대화를 나누는 장면.

69

impersonal

비개인적인, 비인격적인

Lacking personality; not being a person

토플엔 이렇게 나온다

두번째 그룹은 비인격적인 관계에 관여하고 특정한 실질적인 목적을 위해 함께 모인 두 명 이상의 사람들을 포함합니다.

미드 | Scene 51

Dr. Donald Ducky Mallad: What we do is very invasive and impersonal.

Dr. Donald Ducky Mallad: 우리가 하는 일은 (몸을) 쑤시는 아주 비인격적인 일이야.

<NCIS> S2_EP08 00:06

미드 | Scene 설명

검시실에서 Dr. Donals Ducky Mallad가 시체를 부검하면서 시체부검하는 일에 대해 후배(동료)인 Dr. Jimmy Palmer에게 언급하는 장면.

implement

수행하다

To put into practical effect; carry out

 토플엔 이렇게 나온다

학교에서 반성(反省, 자신 돌이켜봄)을 (수)행하는 데에는 많은 장애물이 있으며, 교사들이 반성을 원하는 이유에 대한 이해가 부족합니다.

미드 | Scene 52

Cpt Rogan: we should implement the White Knife protocol.

Cpt Rogan: 화이트 나이프 절차를 밟아야 합니다.

<NCIS> S17_EP12 00:01

미드 | Scene 설명

Rebeca weeks 대위가 비행중 편대비행에서 이탈하자 항공모함 함교(지휘실)에서 비행편대를 지휘하던 Rogan 대위가 Franklin Roosevelt호 책임자인 중령에게 말하는 장면.

implication

영향

something that is implied; suggestion

 토플엔 이렇게 나온다

놀랍지 않게도, 사회학자들은 집단의 주요 유대(관계)의 강도가 집단의 기능
에 영향이 있다라는 것을 발견했습니다.

미드 | Scene 53

Leon Vance: The project is need-to-know because of the
potential implications.

Leon Vance: 이 프로젝트는 잠재적 영향 때문에 조사 필요한(알아야 될) 대상이
에요.

<NCIS> S15_EP05 00:26

미드 | Scene 설명

Edward Holdren(해군 정보실 민간 엔지니어로서 기밀 프로젝트 맡고 있음)이 훔
친 소프트웨어에 대해 Leon Vance 국장과 Reloy Jethro Gibbs가 대화하는
장면.

incinerate ~

~ 소각하다

burn up, reduce to ashes

 토플엔 이렇게 나온다

작은 식물들은 완전히 소각되었습니다.

미드 | Scene 54

Tony Dinozzo: So do we. Unfortunately, it was incinerated in the explosion.

Tony Dinozzo: 그건 우리도 마찬가지예요 안타깝게도(불행하게도) 폭발 때문에 재가 돼 버렸거든요.

<NCIS> S1_EP15 00:25

미드 | Scene 설명

자금을 훔친 혐의를 받고 있는 Will Ryan 대령을 쫓고 있었던 Carlson(FBI요원)의 시신이 오두막(Will Ryan대령소유)에서 발견된 상황에서 Will Ryan 대령이 Carlson FBI요원을 죽인 게 아니라는 증거로서 Katlin Todd가 언급한 대령아닌 외부인의 오두막(Will Ryan대령소유) 무단침입과 총격전의 흔적에 대해 FBI요원들이 보고싶다고 말하자 Tony Dinozzo가 말하는 장면.

incredible

믿을 수 없는, 놀랄만한

unbelievable

 토플엔 이렇게 나온다

놀라운 점은 네덜란드 농업이 매출과 생산량 감소와 같은 것의 영향을 받았다는 것이 아니라, 이 위기가 네덜란드 농업에서 비교적 늦게 나타났다는 사실입니다.

미드 | Scene 55

Ellinoa Bishop: Eye opening. His stamina is incredible.

Ellinoa Bishop: 눈이 커졌죠. 그의 스테미나는 놀라워요.

<NCIS> S14_EP01 00:05

미드 | Scene 설명

스코틀랜드에 다녀온 Ellinoa Bishop이 출근하여 스코틀랜드에서 만난Clayton Reeves(유명인사)에 대해 Timothy Macgee와 대화하는 장면.

influx

유입

A flowing in

 토플엔 이렇게 나온다

무역의 확장은 은행 및 금융 서비스의 발전으로 촉진되었으며 미국은 금 (gold), 은(silver) 형태의 막대한 자본유입이라는 혜택을 받았습니다.

미드 | Scene 56

Tony Dinnozo: Without a cash influx, you're gonna be out of business in two months.

Tony Dinnozo: 현금유입이 없다면 당신(회사) 두 달안에 파산할(상황인) 거예요.

<NCIS> S6_EP07 00:32

미드 | Scene 설명

콴티코 기지의 은행 무장은행강도가 들어 은행에 도착한 현금수송차량이 털리고 경비가 총에 맞은 사건이 발생하는데 이 사건을 조사하는 과정에서 수상한 점이 있는 용역경비회사 사장인 Paul Harris를 Tony Dinnozo가 취조하는 장면.

참고하세요

문장에 부정어가 두 개 있는 경우 긍정문으로 생각하시면 됨(부정+부정=긍정) → ch 8참고

ingenuity

기발함, 독창적임

cleverness; inventive talent; cleverness

토플엔 이렇게 나온다

테오티우아칸(Teotihuacán)의 신전으로서의 종교적 중요성, 기원전 첫 번째 천년이 끝날 무렵 멕시코 계곡 주변에서의 역사적 상황, 테오티우아칸 엘리트들의 독창성과 선견지명, 그리고 마지막으로 기원전 1천 년 후반의 화산 폭발과 같은 자연 재해의 영향 등은 정확히 파악하기가 어렵습니다.

미드 | Scene 57

Mossad Director(Ziva David's father): This is American ingenuity.

Mossad Director(Ziva David's father): 이건 미국의 기발함이지.

<NCIS> S8_EP08 00:35

미드 | Scene 설명

땅콩버터들은 prezel을 맛있어하며 prezel에 땅콩버터를 넣은 미국(인)의 기발한 재주에 대해 이스라엘 정보조직 모사드 국장(또한 Ziva David요원의 아버지)이 Leon Vance국장에게 얘기하는 장면.

interact with ~

~ 교류(교감)하다

to converse with and exchange ideas with someone

 토플엔 이렇게 나온다

의식(ritual)을 행하는 수행자가 신성한 존재여야 했고 죽은 자와 상호작용할
수 있어야 했으며 동상은 앞에서 일어나고 있는 일을 볼 수 있도록 앞으로 향
하여 바라보고 있는 모습이어야 했습니다.

미드 | Scene 58

Jacqueline Sloane: you have to interact with them on their
home turf.

Jacqueline Sloane: 새로 만난 사람(들) 제대로 알아보기 위해 홈경기장에서 상대
해봐야 하는 거죠.

<NCIS> S15_EP04 00:31

미드 | Scene 설명

NCIS에 합류하게 된 법의학 심리학자인 NCIS 요원 Jacqueline Sloane과
Leroy Jethro Gibbs와의 대화 장면(Jacqueline Sloane이 Leroy Jethro Gibbs에 대
해 파악하고자 함).

invisible

눈에 보이지 않는

not visible; not able to be perceived by the eye

토플엔 이렇게 나온다

학생 정부 조직은 눈에 보이지 않습니다.

미드 | Scene 59

Jacqueline Sloane: More than unpopular. Almost invisible.

Jacqueline Sloane: 인기 없다는 거 이상(뛰어넘어) 거의 투명인간이었죠.

<NCIS> S15_EP06 00:27

미드 | Scene 설명

Jake Miller 병장이 부업으로 골프장 시간제 정비원일을 하다가 살해된 채 발견되고 이 살해사건을 해결하기 위해 NCIS 요원들이 피해자를 조사하는 과정에서 피해자의 성향이 사회에서는 내성적이나 목소리가 좋기 때문에 햄라디오하는 동안에는 사교적이고 자신감 넘치는 사람으로 변한다고 Jacqueline Sloane이 Timothy McGee에게 말하는 장면.

isolation

고립

social separation of a person

토플엔 이렇게 나온다

육지에서 떨어져 나가 섬으로 된 이후 이 고립된 새로운 환경에서 생존해야 겠다는 욕구는 새로운 종의 분화라는 결과를 가져왔습니다.

미드 | Scene 60

Katlin Todd: How long are we going to have to stay in isolation?

Katlin Todd: 우리가 얼마 동안이나 고립(격리)된 상태로 있어야 하는 거죠?

<NCIS> S2_EP22 00:06

미드 | Scene 설명

NCIS로 배달된 우편물 안에 있는 백색가루가 들어있는 줄 모르고 Tony Dizzono가 입으로 부는 바람에 NCIS에 비상사태가 발생하고 생물학 공격 대응 절차에 들어가는데… NCIS요원 Katllin todd가 말하는 장면.

Day 61

miraculous

기적적인

of, like, or caused by a miracle; marvellous

토플엔 이렇게 나온다

육지에서 떨어져 나가 섬으로 된 이후 이 고립된 새로운 환경에서 생존해야
겠다는 욕구는 새로운 종의 분화라는 기적적인 결과를 가져왔습니다.

미드 | Scene 61

Leroy Jethro Gibbs: And where is this miraculous find?

Leroy Jethro Gibbs: 발견한 기적적인 사람(Toshi Yoshida)은 어디에 있죠?

<NCIS> S2_EP07 00:36

미드 | Scene 설명

해병대 참전용사인 Ernie Yost는 60여 년 전 전쟁에서 동료를 살해했다고(사실
잘못 알고 있음) 고백하고 피고인이 되는데 퇴역 상병 Ernie Yost가 60년 전 동
료해병대원(Kean상병) 살해 범인이 아니라는 증언을 해줄 증인(Toshi Yoshida 퇴
역 일본군대위)에 대해 Leroy Jethro Gibbs가 Coleman 소령(군법무관)에게 말
하는 장면.

nudge
몰아넣다/밀다, 몰아넣음/밀음

To push against gently, a gentle poke or push

 토플엔 이렇게 나온다

그가 발견한 한 가지는 인간이 이 동물들을 멸종 위기로 몰아넣기 위해 반드시 대량으로 죽일 필요는 없다는 것이었습니다.

미드 | **Scene 62**

Garbage man(Garbage collector): So... give it a little nudge.

Garbage man(Garbage collector):약간 (건드려) 밀면.

<NCIS> S13_EP13 00:00

미드 | **Scene 설명**

겨울, 영하의 날씨. 쓰레기봉투들로 가득 찬 덤프트럭의 적재함이 경사지게 기울어 있었지만, 차가운 날씨 탓에 쓰레기들이 서로 얼어붙어 떨어지지 않았다. 환경미화원 한 명이 꼬챙이로 봉투들을 밀어내며 하나씩 바닥으로 떨어뜨리는 가운데, 그중 하나의 봉투가 찢어지며, 얼어붙은 시체의 얼굴과 상반신이 드러나는 장면.

obsession

집착

fixation; a persistent preoccupation, idea, or feeling

토플엔 이렇게 나온다

로마가 통일성과 결속력에 집착한 이유는 로마의 초기 발전 패턴에 (그 이유가) 있습니다.

미드 | Scene 63

Katlin Todd: It turns into obsession.

Katlin Todd: 과도한 집착으로 바뀌어서(염려가 돼).

<NCIS> S1_EP23 00:13

미드 | Scene 설명

NCIS요원 Gerald에 총상을 입힌 테러리스트 Craig에 대한 Leroy Jethro Gibbs의 과도한 집착에 대해 염려하며 Katlin Todd가 Tony Dinozzo에게 말하는 장면.

offspring

후손, 자손

the immediate descendant or descendants of a person, animal, etc; progeny

 토플엔 이렇게 나온다

시끄러운 아기 새의 소리는 실제 배고픔과 건강 상태에 대한 정확한 신호를 제공하는 역할을 하여 이 소리를 듣는 부모새는 다른 여러 아기 새에게 먹이를 줄 수 있는 둥지에서 자기한테 먹이를 주게 되는 것입니다.

미드 │ Scene 64

Tony Dinozzo: It could be one of my offspring has a medical condition.

Tony Dinozzo: 내 자식 중 한 명이 의료적인 (의료적으로 필요한) 상태에 있을 수 있지.

<NCIS> S3_EP10 00:26

미드 │ Scene 설명

Tony Dinozzo가 옛날 대학교 1학년이었을 때 정자은행에 정자를 판매하였는데 최근에 정자은행에서 우편으로 그에게 연락을 해온거에 대해 Tony Dinozzo가 정자은행에 전화하면서 Tony Dinozzo와 Ziva David의 대화 장면.

Day 65

league

(자질,능력 등의) 수준, (비슷한) 부류

A class or level

토플엔 이렇게 나온다

1930년대 그는 뉴욕시의 인기 있는 미술 학교인 아트 스튜던트 리그에서 그림과 회화를 공부했습니다.

미드 | Scene 65

Jared Turner: Your "girlfriend" was way out of your league.

Jared Turner: 너의 여자친구는 상당히 너의 부류(너의 수준에 맞는 부류)는 아니었어 (너한테 어울리지 않은 과분한 상대야).

<NCIS> S15_EP11 00:35

미드 | Scene 설명

Bishop과 Tores 두 요원이 마약조직의 일원으로 잠입수사 중 Nick Torres요원은 마약거래상 Jared Turner의 인질이 되고 Jared Turner와 Nick Torres 두 사람이 안전가옥(간첩 테러분자등의 아지트)으로 이동하는 중에 차 안에서 Nick Torres와 Ellinoa Bishop에 대해 얘기하는 장면.

pale

창백한, (~비교시) 무색해지다

losing significance; looking feeble; weak

 토플엔 이렇게 나온다

미국 북서부의 세인트 헬렌스 산 화산 폭발로 인한 파괴는 인간에 의한 파괴에 비하면 무색해집니다(미미한 수준입니다).

미드 | Scene 66

Tony Dinozzo: Pale, dull…

Tony Dinozzo: 창백, 따분…

<NCIS> S8_EP15 00:06

미드 | Scene 설명

NCIS에서 경호업무를 맡게된 사람(Adriana Gorgova를 경호하게 됨)에 대해 Tony Dinozzo가 말하는 장면.

persevere

인내심발휘하여 수행하다

to persist in pursuing something in spite of obstacles or opposition

토플엔 이렇게 나온다

잭슨 폴록은 대공황기의 어려움 속에서도 인내했으며 파블로 피카소, 토마스 하트 벤튼 등의 화가로부터 영감을 얻었습니다.

미드 | Scene 67

Kasie Hines: But… I have persevered, and watched that surveillance video 47 times, and I think I figured it out. She took the engine control system.

Kasie Hines: 그런데… 인내심을 발휘해서 감시 카메라 영상을 47회 봤어요. 그리고 파악한 것 같아요. 그녀는 엔진 제어 시스템을 떼어갔어요.

<NCIS> S17_EP12 00:29

미드 | Scene 설명

노스캐롤라이나 앞바다 항해 중인 Franklin Roosevelt호(항공모함)가 보유한 F18 전투기 비행훈련 중 편대비행에서 이탈하여 노스캐롤라이나의 페어필드 지역 간이활주로에 착륙시킨 후 도주 중인 살해용의자 Rebeca weeks 대위가 인근 폐차장에 무단침입하여 폐차예정인 차에서 떼어간 자동차부품에 대해 Kasie Hines가 Leroy Jethro Gibbs에게 말하는 장면.

pile up

쌓이다, 누적되다

To form a heap or pile

 토플엔 이렇게 나온다

구름이 형성되기 시작합니다. 공기가 해안에 가까워지면 육지에 의해 느려지고 쌓이기 시작합니다.

미드 | Scene 68

Mr. Boone: After I'm gone, bodies are just gonna continue to pile up.

Mr. Boone: 내가 죽은 후에도 시체는 계속 쌓여 갈 거야.

<NCIS> S3_EP03 00:40

미드 | Scene 설명

Mr. Boone이 피해자들의 시체를 유기했다고 예상되는 지역(그레이트 폴즈 국립공원)에서 조사하던 중에 납치된NCIS요원 Cassidy의 위치를 말하라고 취조실에서 깁스가 Mr. Boone을 다그치자 Mr. Boone이 말하는 장면(Cassidy는 나중에 알고 보니 Mr. Boone의 모방범죄자인 Mr. Boone의 변호사한테 인질로 잡혀있음).

pinpoint

정확히 파악하다

identify precisely; To locate or identify with precision

토플엔 이렇게 나온다

다른 요인들의 정확한 역할은 정확히 파악하기에 훨씬 더 어렵습니다.

미드 | Scene 69

Timothy Macgee: Well, Navy pinpoints the crash site at about 4.2 miles southeast of here.

Timothy Macgee: 해군이 파악한(짚어낸) 추락 현장은 여기서 남동쪽으로 4.2miles(6.72km)정도 떨어진 곳입니다.

<NCIS> S17_EP12 00:15

미드 | Scene 설명

Franklin Roosevelt호(항공모함) 보유 전투기인 F-18의 추락지점에 관해 Timothy Macgee가 Leroy Jethro Gibbs에게 조사한 내용을 보고하는 장면.

plug ~ in -

~을(를) -에 꽂다

① filling up
② Connecting physically by inserting a plug into a socket

 토플엔 이렇게 나온다

랩톱(노트북 컴퓨터)를 가져와서 전원을 꽂을 수 있는 전기콘센트(electric outlet)는 본 회의장에 있습니다.

미드 | Scene 70

Abby Sciuto: They were plugged in the trunk.

Abby Sciuto: 총알들이 트렁크에 꽂혀(박혀)있었어요.

<NCIS> S3_EP01 00:17

미드 | Scene 설명

NCIS요원들 노렸던 총격의 흔적이 남은 차량(sedan)을 조사하면서 Abby Sciuto가 말하는 장면.

Day 71

precede ~

~에 시간적으로 앞서다

to go before

토플엔 이렇게 나온다

일일 및 계절적 기후의 극심한 변화는 바다가 주요 해양 분지로 후퇴하는 것
보다 시간적으로 앞섭니다(일일 및 계절적 기후의 극심한 변화는 바다가 주요 해양
분지로 후퇴하기 전에 발생했습니다).

미드 | Scene 71

Tony Dinozzo: Well, there's always one phony break-up that
precedes the real break-up.

Tony Dinozzo: 남녀의 진짜 이별 이전에 전화상으로 하는 이별이 항상 있다니까.

<NCIS> S1_EP22 00:02

미드 | Scene 설명

NCIS사무실에서 Katlin Todd와 Tony Dinozzo가 남녀간의 연애에 대해 대화
하는 장면.

precious

소중한, 귀중한

valuable

 토플엔 이렇게 나온다

비록 두개골에 국한되어 있지만, 파키세투스 화석은 고래류의 기원에 대한 귀중한 정보를 제공합니다.

미드 | Scene 72

Mary Hanlan: He stuffed their precious doctor?

Mary Hanlan: 그 아이(장의사 부부의 둘째아들)가 그들(NCIS)의 소중한 의사(Dr. Donald Ducky Mallad)를 박제라도 했대요?

<NCIS> S2_EP13 00:35

미드 | Scene 설명

범죄혐의로 첫째아들(장의사 부부의 아들인 Vincent Hanlan)이 형벌받고 옥살이했다는 이유로 관련자들인 담당 검사, 판사, 배심원장에 불만을 품고 이들을 살해했는데(Dr. Donald Ducky Mallad도 현재 표적이 된 상태) 이 사건을 조사하기 위해 장의사 부부의 집을 탐문한 NCIS요원들이 돌아간 후 장의사부부 둘째아들의 전화로 부터 둘째아들 가게(동물 박제하는 가게)를 NCIS가 조사했다라는 것을 알게되고 이에 대해 Mary Hanlan(장의사부부 아내)이 Dr. Donald Ducky Mallad에 대해 남편(장의사부부 남편)에게 말하는 장면.

predicament

곤경

a perplexing, embarrassing, or difficult situation

 토플엔 이렇게 나온다

엄청난 홍수가 발생한 이 지역의 곤경은 적어도 기원전 652년 제나라(중국) 환공이 그의 국가 동맹을 소집한 춘추 시대(기원전 722-481년)로 거슬러 올라가는 역사적 기원을 가지고 있습니다.

미드 | **Scene 73**

Leroy Jethro Gibbs: Got a predicament, Lieutenant.

Leroy Jethro Gibbs: 곤경에 처했군, 대위

<NCIS> S17_EP12 00:34

미드 | **Scene 설명**

NCIS요원들과 Rebeca weeks대위(Marshall May 중령을 인질로 잡고 있음)가 조타실에서 서로 총을 겨누며 대치 중인데 Leroy Jethro Gibbs가 Rebeca weeks 대위에게 말하는 장면.

Predictable

예측하기 쉬운, 뻔한

capable of being foretold

Day 74

 토플엔 이렇게 나온다

이 동물들은 예측할 수 있는 행동 때문에 사냥하기 쉬웠습니다.

미드 | **Scene 74**

Abby Sciuto: You bring me hair, you bring me blood, you bring me fluids. And mercury. Predictable, yet constantly surprising.

Abby Sciuto: 나에게 머리카락, 혈액, 체액도 가져다 주고 수은도 가져다 주니까요. 예상했지만 항상 놀라워요.

<NCIS> S5_EP04 00:14

미드 | **Scene 설명**

희생자(Marvin Hinton)가 살해당한 거주지에서 NCIS 현장요원들이 희생자의 머리카락, 혈액, 체액을 Abby Sciuto에게 가져다 주니 법의학(포렌식) 기법으로 조사하는 Abby Sciuto가 말하는 장면.

predominately

우세하게, 확실하게

for the most part; mostly; mainly

토플엔 이렇게 나온다

영국에 기원을 둔 양고기 품종은 주로 육류로 사용됩니다.

미드 | Scene 75

Abby Sciuto: Oh, but I can tell you that he is male, Caucasian, predominately European ancestry, and has markers for pattern baldness.

Abby Sciuto: 하지만 그 사람이 우세하게(확실하게) 유럽계의 백인 남성이라는 건 말해줄 수 있어요. (정해진)유형의 탈모 유전자도 있고요.

<NCIS> S15_EP12 00:18

미드 | Scene 설명

Dr. Jimmy Palmer가 피해자(Melissa Newhall중위)의 시체에서 찾은 DNA를 Abby Sciuto가 분석하고 이에 대해 얘기하는 장면.

proliferation

증식, 확산

① rapid growth or reproduction of new parts, cells, etc
② rapid growth or increase in numbers

 토플엔 이렇게 나온다

은행의 지속적인 확산으로 현금이 없는 사람들이 지폐로 대출을 받는 것이
더 쉬워졌습니다.

미드 | Scene 76

Timothy Macgee: It's code-named Lodestone. Running out
of the CIA section for Weapons Control and Arms Prolifer-
ation.

Timothy Macgee: 로드스톤이라고 이름지어진 작전입니다. CIA의 무기 통제& 무
기 증식 부서에서 실행 중인 작전이죠.

<NCIS> S4_EP24 00:27

미드 | Scene 설명

유럽 출장 중 24시간 동안 행방이 묘연하며 종적을 감췄던 Jenny Sheppard
국장의 그 시간 동안의 행적을 알아내기 위해 Leroy Jethro Gibbs가 CIA와의
관련성이 있다고 보고 Timothy Macgee에게 CIA 해킹을 지시하였고 컴퓨터
화면을 보며 그 결과를 보고하는 장면.

prone ~

~ 경향이 있는

likely; Having a tendency; inclined

토플엔 이렇게 나온다

사람들은 피곤할 때 실수를 더 많이 하는 경향이 있습니다.

미드 | Scene 77

Katlin Todd: Well, it's not just a hunch. Two people stated that he wasn't prone to suicide.

Katlin Todd: 이건 직감이 아니에요. 맥도날드는 자살할 성향(경향)의 사람이 아니라고 두 사람이 밝혔다고요.

<NCIS> S1_EP04 00:25

미드 | Scene 설명

군함 foster호 선내 Russel macdonald 일병(살인피해자)과 Zuger 일병이 서로에게 검을 휘두른 흔적이 남아있는 곳을 조사하면서 Katlin Todd가 Leroy Jethro Gibbs에게 말하는 장면.

propulsion

추진, 추진력

moving forward

토플엔 이렇게 나온다

큰 뒷다리는 물속에서 추진하는 데 사용되었습니다.

미드 | ## Scene 78

Victor Tillman: This is a patent for a mixed-fuel propulsion system.

Victor Tillman: 이것은 혼합연료추진시스템의 특허권입니다.

<NCIS> S7_EP11 00:22

미드 | ## Scene 설명

제트팩(1인 개인비행장치)을 시험비행하던 Brad Hondo Sayers 소령이 웨스트버지니아 애팔패치아 산맥에서 시체로 발견되자 NCIS가 조사에 착수하고 Timothy Macgee가 NCIS취조실에서 틸만항공(Tillman air corp.) 대표인 Victor Tillman을 취조하는 장면.

Day 79

publicity

광고, 유명세

Public interest, notice, or notoriety generated or gained
by disseminating information through various media

 토플엔 이렇게 나온다

대학교들은 대학교 소속 교수들이 TV에 출연할 때 대학교에 대한 긍정적인
광고효과를 얻습니다.

미드 | Scene 79

Alden Parker: I always thought Bauer was a blowhard and
a publicity chaser.

Alden Parker: 난 Bauer가 허풍쟁이인데다가 유명세만 쫓는(추구하는) 사람이라고
항상 생각했었지.

<NCIS> S20_EP20 00:11

미드 | Scene 설명

Amanda(Graysn 상원의원의 딸)가 살해당한 채 발견되는데 Graysn 상원의원
이 Amanda부검에 다른 병리학자(Miles Bauer)를 합류시키자 하여 Dr. Jimmy
Palmer와 Miles Bauer가 만나게 되고 이를 알게 된 Alden Parker가 한때 FBI
에서 함께 일했던 Miles Bauer에 대해 혹평하는 장면.

puzzle

난제

Something that baffles or confuses; an enigma

토플엔 이렇게 나온다

바다 동물들이 물속에서 어떻게 길을 찾는지와 관련하여 흥미로운 퍼즐이 있습니다.

미드 | ## Scene 80

Kasie Hines: He spent his spare time tracking clues and solving puzzles.

Kasie Hines: 그는 여가 시간에 단서를 쫓고 퍼즐을 풀었어요.

<NCIS> S18_EP03 00:09

미드 | ## Scene 설명

아파트 (철제)비상계단에서 창자(내장)가 밖으로 쏟아진 채 발견된 살인피해자(Diego Barnes 중사)의 부검 과정 중 사체에서 발견된 지도가 그려진 종이(피해자가 삼킴)와 피해자의 노트북을 조사한 Kasie Hines가 Leroy Jethro Gibbs에게 설명하는 장면.

relevant

관련된

having direct bearing on the matter in hand; pertinent

토플엔 이렇게 나온다

기억과 관련된 생리적 변화를 포함합니다.

미드 | Scene 81

Leroy Jethro Gibbs: Is this in any way relevant to our case?

Leroy Jethro Gibbs: 우리 사건과 어떤 식이라도 관련 있는 거 야?

<NCIS> S1_EP14 00:12

미드 | Scene 설명

화상으로 보안관 Charlie로 부터 그레이슨 카운티 인근 지역 살인사건 소 식
을 듣자 NCIS요원 Tony Dinozzo가 예전 사건이 생각난다며 과거의 기억을
상기시키는데 Leroy Jethro Gibbs가 지금 사건과 무슨 관련이 있냐고 말하
는 장면.

relic

유물

① Something that has survived the passage of time
② omething cherished for its age or historic interest

토플엔 이렇게 나온다

이 돌도끼는 고대의 유물입니다.

미드 | Scene 82

Avery: They're relics, they're not operational.

Avery: 그것들은 고물이에요, 작동하는 것이 아니에요.

<NCIS> S2_EP23 00:31

미드 | Scene 설명

해군과 무인항공기 공동 개발프로젝트 건으로 Westfall 대위가 파견된 방산업체 danborn avionics에서 이 프로젝트와 대위의 살해사건과의 연관성을 조사하기 위해 이 방산업체에 방문하여 격납고에서 직원(Avery)과 대화하는 중 격납고에 있는 오래된 격추용(타깃용) 드론을 가리키며 말하는 장면.

replenish

보충하다

to make full or complete again

토플엔 이렇게 나온다

거의 무시할 수 있는 수준의 자연 재충전 속도를 가진 유한한 지하수 자원의
전례 없는 개발, 즉 물 공급을 보충할 수 있는 천연 수원이 거의 없기 때문에
이 지역의 지하수면(地下水面,water table)이 급격히 감소했습니다.

미드 | Scene 83

Abog Galib: She sails tomorrow to replenish Marine Expe-
ditionary Strike Force 8 in the Red Sea.

Abog Galib: 홍해에 있는 케이프 피어호는 제 8해병 원정대의 보급을 위해 내일
출항해요.

<NCIS> S3_EP23 00:02

미드 | Scene 설명

Abog Galib 첩 보원이 Gibbs에게 해상 군수품 수송선 케이프 피어호가 공격
당할거라는 정보를 주는 장면.

참고하세요

She → 케이프 피어호

rule of thumb

경험에 근거한 방안, 방법, 조치

A useful principle having wide application but not intended to be strictly accurate or reliable in every situation

토플엔 이렇게 나온다

부모님처럼 이 주제에 대해 일반적이거나 가벼운 지식을 가진 사람에게 연구 프로젝트를 설명하려면 무엇을 포함해야 하는지 생각해 보세요. 그것이 보통 제 경험 법칙입니다.

미드 | Scene 84

Toby: In fact, basic rule of thumb, let's just act everyday like Pam's mom is coming in

Toby: 사실, 경험칙에 따라, Pam의 어머니가 일상적으로 매일 들락거리는 것처럼 아무렇지 않게 대하자구요.

<Office> S2_EP20 00:08

미드 | Scene 설명

Pam의 엄마가 회사에 방문한다고 하자 인사과 직원 Toby가 말하는 장면.

sabotage

고의로 손상시키다, 파괴하다

To damage, destroy intentionally

토플엔 이렇게 나온다

지하운동가가 터널을 폭파시킴으로써 철로를 파괴했습니다.

미드 | Scene 85

Dafelmair: Sir, there's no way for anyone to sabotage a chute and count on it getting to a specific jumper.

Dafelmair: 어느 누구라도 의도적으로 낙하산에 해를 입히고(파손시키고) 그 파손된 낙하산이 특정 훈련자에게 떨어질 거라는(배정될 거라는) 계산(헤아리는 거) 그게 불가능합니다.

<NCIS> S1_EP02 00:15

미드 | Scene 설명

낙하산 훈련 중 낙하산이 펼쳐지지 않아 사망한 해병 Fuentes 하사의 사건을 조사 중인 Leroy Jethro Gibbs는 낙하산 정비를 담당한 Dafelmair 상병을 강하게 추궁한다. 이에 Dafelmair 상병이 대답하는 장면.

참고하세요

명사를 to-v가 후치수식 ch7 후반부 고급스킬, 응용내용 참고
to-v 동작, 행위 주체표시 의미상주어

sell someone on ~

누군가를 ~로 납득시키다, 누군가에게 ~(생각·계획 등)을 받아들이게 하다

to persuade to accept or approve (of):

토플엔 이렇게 나온다

우리는 꽤 많은 수강생이 올거라는 말로 초빙강사를 납득시킬 수 있었습니다.

미드 | Scene 86

Leon Vance: This pile I'm sold on, this pile not so much.

Leon Vance: 이 신입요원들은 납득이가요(수긍했어요), 이 신입요원들은 아니구요.

<NCIS> S6_EP07 00:18

미드 | Scene 설명

Lee요원을 불러서 Leon Vance가 신입요원들에 대해 문의하는 장면.

sell yourself short

(너)자신을 낮추다, 폄하하다

To undervalue someone, something, or oneself; to under-
estimate or underappreciate the good qualities of some-
one, something, or oneself.

토플엔 이렇게 나온다

학생이기 때문에 아직 회사에서 일해본 경험이 없어서 고객이 정말로 무엇
을 원하고 필요로 하는가에 대한 감각이 없다고 말한다면 자신을 낮게 평가
하는 것입니다.

미드 | Scene 87

Jenny Sheppard: Don't sell yourself short.

Jenny Sheppard: 본인을 낮추지 말아요

<NCIS> S4_EP02 00:40

미드 | Scene 설명

Derrick Paulson 하사의 억울한 누명을 벗게 해준 공을 본인(Derrick Paulson)
이 다한거라고 말하는 Leroy Jethro Gibbs한테 Jenny Sheppard가 말하는
장면

So much for ~

~은 이제 그만, ~(처리되어야 하는 것들이) 많은

① That is enough about
② to have a lot of things to be treated

토플엔 이렇게 나온다

굳지 않은 퇴적물은 이제 그만, 설명 충분히 했습니다.

미드 | Scene 88

Katlin Todd: So much for small talk.

Katlin Todd: 잡담이 될 만한(작은 규모의) 사건들이 많이 있네요

<NCIS> S1_EP03 00:02

미드 | Scene 설명

Leroy Jethro Gibbs가 월요일 NCIS사무실에 출근하자마자 사건 보고를 받는 장면

stand

참다, 맞서다

To resist successfully; withstand

토플엔 이렇게 나온다

그들은 빙하시대의 추위를 견딜 수 있었습니다.

미드 | ## Scene 89

Coleman: Decisions over competency to stand trial are not yours to make.

Coleman: 재판 치러야 하는(감당할 수 있는/참을 수 있는) 적성(적격) 결정은 당신이 하는 일이 아닙니다.

<NCIS> S2_EP07 00:12

미드 | ## Scene 설명

Leroy Jethro Gibbs는 Coleman 소령과 화상 통화를 하고 있다. Coleman 소령은 60년 전 전쟁 중 동료인 Wade Kean 상병을 살해했다고 자백한 퇴역 군인 Ernie Yost 사건의 수사를 Gibbs에게 맡기려 한다.

stigma

오점, 오명

a distinguishing mark of social disgrace

 토플엔 이렇게 나온다

이 이야기의 오점은 일관성이 없다라는 점입니다.

미드 | Scene 90

Timothy Macgee: I guess we have been to enough crime scenes to sort of take away that stigma a little.

Timothy Macgee: 오점을 제거하기에 충분한(익숙한) 범죄 현장 경험이 있다고 생각해요.

<NCIS> S13_EP21 00:32

미드 | Scene 설명

엘리베이터 안에서 맥기 요원과 디노조 요원이 디노조의 아파트에 대해 장난스럽게 나누는 대화 장면.

(맥기 요원이 디노조의 아파트에서 과거에 3중 살인사건이 있었다는 사실을 언급하자 태연하게 디노조 자신이 마치 살인자인 양 마룻바닥 핏자국(오명)을 지울 수 없었다고 얘기하는 장면)

109

straightforward

간단한, 솔직한, 이해하기 쉬운

Free from ambiguity or pretense; plain and open

토플엔 이렇게 나온다

쿠스토의 다큐멘터리는 매우 간단했고 페인레베의 영화보다 사람들의 기대
에 더 부합했습니다.

미드 | Scene 91

Dr. Donald Ducky Mallad: So that's pretty straightforward.
What's the mystery?

Dr. Donald Ducky Mallad: 매우 자명하지(확실하지). 난제(미스터리)가 뭐지(해결되
었지)?

<NCIS> S1_EP17 00:13

미드 | Scene 설명

부대동료 Wong을 골탕먹이려는 계획을 실행하다가 사망하게 된 Chris
Gordon 하사의 부검 결과에 대해 Dr. Donald Ducky Mallad가 Leroy Jethro
Gibbs에게 설명하는 장면.

taken aback

놀라게 되는

startled, astonished or shocked

 토플엔 이렇게 나온다

많은 사람이 그 점(한 회사가 소통하는 30개 이상의 다른 고객층이 있는 점)에 놀라게 됩니다.

미드 | Scene 92

Penny: I'm sure he'd be delightfully taken aback.

Penny: 나는 확신해 그는 놀랄 거야(놀라서 뒤로 넘어갈거야).

<The Big Bang Theory> S3_EP10 00:05

미드 | Scene 설명

Penny가 Leonard Hofstadter를 놀라게 해주려고 Sheldon Cooper한테 물리 가르쳐달라고 하는 장면

111

tantamount to ~

~ 상응하는, 맞먹는

Equivalent in effect or value

 토플엔 이렇게 나온다

새의 날개는 사람의 팔에 상응합니다.

미드 | Scene 93

Wesley Evers: If your hospital decides to give in, to this terrorist's demands, to take away the heart that has been promised to Miss Scott
that is tantamount to organ brokering.

Wesley Evers: 당신네 병원이 테러리스트요구에 굴복해서 Scott 양에게 (원래 주기로)약속되었던 심장을 가져가는(심장가져가서 테러리스트에 주는) 결정을 한다면 그건 장기밀매와 다를 바 없습니다.

<The Rookie> S4_EP17 00:21

미드 | Scene 설명

Wesley Evers(Graham Scott의 법률대리인)이 Linda(병원장)에게 말하는 장면.

threaten ~

~협박하다, 위협하다

① express a threat against or give indications of taking hostile action against
② endanger

토플엔 이렇게 나온다

심리적 통제는 두려움과 처벌에 기반하여, 즉 로마의 권위를 위협하는 사람 뿐만 아니라 로마의 권위를 위협하는 다른 모든 것도 완전히 파괴될 것이라 는 절대적인 확신에 기반하여 이루어졌습니다.

미드 | Scene 94

Bill Bear: Don't threaten me, Tom. I'm not in your food chain.

Bill Bear: 나를 협박하지 말아요, Tom. 나는 당신조직 명령체계에 있지 않아요(당 신조직(NCIS) 소속이 아니에요)

<NCIS> S1_EP01 00:17

미드 | Scene 설명

대통령 전용기에서 경호업무에 합류한 해군중령 Trapp이 갑자기 경련을 일으 키며 사망한 사건 조사의 담당 기관을 두고 대통령 경호실장과 Tobias For- nell(FBI 요원)이 대화하는 장면

tough spot
곤란한 지경(상태), 거친 장소

In a troublesome situation

 ## 토플엔 이렇게 나온다

숲 바닥까지 들어온 햇빛이 있는 힘든 장소까지 날아갑니다.

미드 | Scene 95

Leon Vance: Well, your honesty puts me in a tough spot, Gibbs.

Leon Vance: 당신의 그 솔직함이 날 곤란하게 만들고 있어요(곤란한 지경(상태) 빠 트리고 있어요).

<NCIS> S15_EP23 00:07

미드 | Scene 설명

Philip Brooks 대위 관련하여 Leon Vance 국장과 Leroy Jethro Gibbs가 대 화하는 장면

virtually

사실상, 거의

practically; almost

 토플엔 이렇게 나온다

개미들은 숙주 나무에 닿는 거의 모든 것을 공격함으로써 숙주나무를 이롭게 합니다.

미드 | Scene 96

Tony Dinozzo: The thing about all this virtual thievery is it's virtually impossible to virtually police.

Tony Dinozzo: 핵심사항은 모든 가상 절도는 실질적으로 단속하기가 사실상 불가능하다는 거야

<NCIS> S8_EP08 00:02

미드 | Scene 설명

Timothy Macgee, Tony Dinozzo, Ziva David 3명이 신형신용카드를 노리고 만든 센서에 대기만 해도 결제처리가 되는 첨단 절도장비에 대해 대화하는 장면

wedge

사이를 떼는 것

something that serves to part, split, divide, etc

 토플엔 이렇게 나온다

그들의 종교가 다른 점은 그들 사이를 떼어놓았습니다.

미드 | Scene 97

Mitchell: They're just trying to drive a wedge between us.

Mitchell: 우리 둘 사이를 이간질하려는 거야.

<NCIS> S15_EP11 00:31

미드 | Scene 설명

Ellinoa Bishop과 Nick Torres 두 요원은 마약조직의 일원으로 잠입하는 데 성공하고 또한 이 두 요원 중 Ellinoa Bishop은 이들 마약 조직원의 근거지로 출동한 Leroy Jethro Gibbs와 Timothy Macgee을 사로잡는 모습(NCIS요원끼리 짜고 하는 설정임)을 마약조직원(Mitchell)에게 보임으로써 확실한 신임을 얻게 된 상황에서 두 사람(Ellinoa Bishop과 Mitchell)에게 Leroy Jethro Gibbs(사로잡혀 인질로 포박당해있음)가 이간질한다고 마약조직원(Mitchell)이 말하는 장면.

PART 02

영어가 풀리는
영문법
(이번 생에 되는 영문법)

본 교재는 지면의 제한으로 모든 문법 내용을 다루지 못했으며, 화법의 전환 등 일부 항목은 선택과 집중의 차원에서 생략하였음을 양해 부탁드립니다.

2회독에서 3회독을 권장드리며, 특히 Chapter 7 관계대명사 부분은 반복 학습을 권합니다.

또한, 이미지 연상 기억법과 두문자 암기법 등 설명 방식이나 일부 예문이 불편하게 느껴지신다면, 자유롭게 취사선택하여 학습해주시기 바랍니다.

시제:
출시된 이후
50년 이상 판매중인
초○파이

시제란, 서술어에 시간 정보를 담아내는 표현 방식입니다. 좀 더 구체적으로는, 주어의 행위(동작)나 상태와 관련된 시간 정보를 본동사에 표시하는 것이 바로 시제입니다.

Chapter 제목에 '초○파이'를 언급한 이유는, 그 제품의 박스 포장에 적힌 "Since 1974"라는 문구 때문입니다. 1974년에 출시된 이후 지금까지 계속 판매되고 있다는 점에서, 현재완료 시제의 개념이 잘 드러나 있다고 생각했습니다. 그래서 시제를 다루는 Chapter 1의 제목에 대표적으로 넣어보았습니다.

※ 시제에서는 기준 시점이 되는 시간 표시 부사/부사구(e.g. since last year(현재완료문장에서 사용), by next year(미래완료문장에서 사용), etc)의 역할이 중요하기 때문에 꼭 눈여겨보셔야 합니다.

Unit 1. 완료시제(현재완료/과거완료)

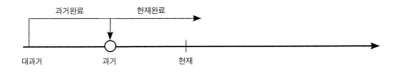

🎞 현재완료(현재완료 4가지 용법)

'과거 발생한 일(일의 사실)이 현재까지 영향을 미치거나 유효하다' 라는 것을 표시하기 위해 사용하는 시제인데 유념(염두)해야 할 사항 은 현재완료 시제의 문장을 보시면 '기간(시간의 구간)이 있다'라는 것 을 먼저 머릿속으로 떠올리셔야 하고(위 그림 참조) 또한 명백하게 과 거의 정해진 시점에 고정됨을 표시하는 부사(부사구)가 사용된 과거 시제 문장과 구분하실 수 있어야 합니다.

e.g. 과거 고정시점 명시적 표시 부사(부사구)

a few years ago(며칠 전에), yesterday(어제), last year(지난해), just now(방금 전), etc

001 **As matter of fact, Joshua fox quit two days ago.**

사실, 조슈아는 2일 전에 관뒀어요(현재 재입사했는지 여부는 모르겠어요).

002 **As matter of fact, Joshua fox has quit.**

→ *이 문장에 절대로 two days ago 쓰면 안 됨.*

사실, 조슈아는 2일 전에 관뒀어요(현재까지도 퇴직자입니다).

● **경험**

'과거(기준 시점이 됨) 시점부터 현재까지의 기간 동안 최소 1번 이
상 특정 행위의 경험이 있다'라는 것을 나타낼 때 사용합니다. 현재
하고 연관성이 있는 것이고 과거의 그 일(사건, 행위)이 현재에도 영
향을 미치는 것입니다.

e.g. 과거의 추억(기억)이 떠오른다든지, etc

다음의 부사/부사구는 현재완료 경험용법임을 알 수 있게 해주는
힌트(단서)가 될 수 있습니다.

→ 횟수를 나타내는 부사(e.g. 7 times 7번), before(전에), ever(한
번이라도/조금이라도), never(결코~아니다), so far(지금까지)

※ 위에 언급된 before는 부사절을 이끄는 접속사before(e.g. ~ before she returned
it to me)가 아니고 단어 하나 단독으로 사용하는 부사임

003 **I've seen McGee do this a million times.** *NCIS s6_ep02 00:35*
나는 McGee 가 이거 하는 거 백만 번 보았어요(본 적 있어요).

004 **Never seen anything like it before.** *NCIS s6_ep05 00:04*
전에 이런 건 본 적 없어요.

005 **This bank ever been hit before?** *NCIS s6_ep07 00:04*
이 은행은 전에 한 번이라도 강탈(타격)당한 적 있나요?

006 **I haven't done this since the '80s.** *NCIS s9_ep20 00:18*
1980년대 이래로 이걸 해 본 적 없어.

007 **You ever worked a crime scene, agent Todd?** *NCIS s1_ep01 00:09*
범죄현장에서 일해 본 적 (조금이라도) 있어요?

※ever 한국말 뜻 암기방법(자주 까먹는 영어어휘 한국말 뜻 암기방법 중 하나 → 영영풀이로 암기&두문자 **at at al 엣엣알 지 조**)

① **at** least once(적어도 한 번)
② **at** any time(언제든지)
③ **al**ways(항상)
④ **지**금까지 → 예문은 뒤 049번 문장에 있음
⑤ (적어도) **조**금(약간)이라도

008 **He's going to be medevaced off the ship.** *NCIS s6_ep02 00:31*
Well, if he ever wakes up, it'll be in Leavenworth.
그는 군함 밖으로 후송될 거예요.
그가 조금(약간)이라도 깨어나는 경우, 그 상황은 Leavenworth(감옥)에서 일 거예요.
(다른 해석) 그가 언제라도 깨어나는 경우, 그 상황은 Leavenworth(감옥)에서 일 거예요.

● **계속**

과거(기준 시점) 시점부터 현재까지 동작, 상태의 계속됨을 나타낼 때 사용합니다.
다음의 부사/부사구는 현재완료 계속용법임을 알 수 있게 해주는 힌트(단서)가 될 수 있습니다.
→ How long~(얼마나 오랫동안~)

009 **And how long you been on air force one?** *NCIS s1_ep01 00:19*
얼마나 오랫동안 air force one(미국 대통령 전용 비행기)에 탑승해 왔지?

다음의 부사/부사구는 현재완료 경험 또는 계속용법임을 알 수
있게 해주는 힌트(단서)가 될 수 있습니다.

문장 해석을 통해 경험용법인지 계속용법인지 구분하시기 바랍
니다.

→"for+시간/기간"(e.g. for 4 months, for a long time(오랫동안)),
since(~이래로,과거 시점 알려주는 말과 함께 쓰임 e.g. 1974)

010 **I've been wanting to tell you for a long time.** *NCIS s4_ep14 00:17*
나는 오랫동안 당신에게 말하고 싶었어요(나는 오랫동안 당신에게 말하는 걸 원
해왔던 중이에요).

011 **He's been searching for a case, any case since I came in.**

NCIS s1_ep03 00:02

내가 들어온(들어왔던) 이래로 그는 한 사건, 어떤 사건이라도 찾는 중이에요
(찾아오는 중이에요).

• **have(has) been to~** "다녀갔다", "갔다 왔다, 간 적 있다"(경험) vs.
He(She) has gone (to~)"가버렸다(그래서 여기 없다)"(결과)

012 **I have been to lots of jobs.**
많은 직업을 전전해왔다.

013 **We have been to three parks already.** *NCIS S8_ep10 00:14*
우리는 이미 공원 3군데 갔다왔어요.

014 I guess we have been to enough crime scenes to sort of take away that stigma a little. *NCIS S13_EP21 00:32*

오점을 제거하기에 충분한(익숙한) 범죄 현장에 다녔다고 (범죄 현장 경험이 있다고) 생각해요.

※ Gone with the wind("바람과 함께 사라지다") 동명의 원작소설의 영화(비비안 리, 클라크 게이블 주연) 참고 바람. 여기 gone은 has gone(to~)의 gone 같은 쓰임임.

※ have(has) been to~ 와 He(She) has gone to~두 가지 표현(용법)을 헷갈려 하시는 분들이 계시는 거 같아(구분되는 분들은 이 설명을 넘어가시기 바랍니다) 참고로 설명드리자면, have(has) been to~(경험)는 우리나라 사람들이 하는 말인데 한국어에 비슷한 말이 있습니다.
서울, 대전, 광주, 대구, 부산, etc 도달(찍고) 돌아왔다/도달한 적 있다)
→ I have been to Seoul, Daejon, Kwangu, Daegu, Busan, etc

◎ 완료

주어(행위 주체)의 의지로 과거(기준 시점이됨)에 동사의 동작이 완료(동작이 발현, 동작이 나타남)되고 그 동작의 완료(발현, 나타남) 사실이 현재까지 유효함을 나타내기 위해 사용하며 현재완료 완료용법에는 보통 다음의 부사/부사구가 사용됩니다.

암기하는 방법(부사의 첫번째 알파벳) jay

just, already(이미, 벌써 진작에), yet(부정문 '아직', 의문문 '이미')

015 It is absurd that they haven't already changed the transportation route.

그들이 진작에 교통 경로를 안 바꿨다라는 점이 어이가 없다.

016 I haven't tagged it yet, but it was definitely an acid.

NCIS s1_ep02 00:13

아직 태그 안 붙였는데 분명히 산성이었어.

017 As you have probably already guessed, we're not here to make a deposit. *NCIS s01_ep06 00:36*

아마 이미 생각하셨던 것처럼, 우리는 입금을 하기 위해 여기에 온 것이 아닙니다.

● **결과**(consequence)

과거(기준 시점)에 발생한 일의 여파(파장)가 현재에 있음을 나타내거나 과거(기준 시점)에 발생한 일의 여파로 인해 현재 부존(不存), 불능(不能), 불운(不運) 등의 상태에 있음을 나타낼 때 사용합니다. 주어(행위 주체)의 의지와 상관없는 또는 주어(행위 주체)의 의지에 반하여 일이 벌어지는 경우(산불, 지진 같은 자연재해로 인한 여파)라고 생각하시면 되겠으며 결과(consequence) 용법으로 다음 4가지를 대표적으로 알고 계시기 바랍니다.

e.g.
①사람 가버렸다(She has gone)
②물건 등 잃어버렸다(He has lost wallet)
③물건 파손되었다(The window has broken down)
④(우발적)신체부위 다쳤다(He has hurt his leg)

018 I have lost my purse

지갑(여성용, 남성용은 wallet)을 잃어버렸다(그래서 현재 내 수중에 없고 행동에 제약이 있을 수 있다는 점을 암시함).

019 I lost my purse

※과거시제
지갑을 잃어버렸다(현재 찾았는지 못 찾았는지 모름)

020 A private yacht has gone missing. *NCIS s1_ep06 00:09*

개인 요트가 사라졌고 분실된 상태입니다.

We are closest to the area.

우리는 그 지역에 가장 근접하고 있어요(아주 가까워지고 있어요).

021 you have lost almost 100% of your hearing. *NCIS s17_ep13 00:14*

당신은 청력의 거의 100%를 잃었어요.

🎬 과거완료(과거완료 4가지 용법)

대과거에 발생한 일이 과거까지 영향을 미치는 것을 나타냅니다 (앞부분 그림 참조).

또는 과거에 시점을 달리하여 발생하는 두 가지 동작(사건)/상황이 있는데 더 옛날 시점에 발생한 것(대과거)이 시간적으로 나중(다음)인 옛날(과거) 특정시점까지 영향미칠 때 사용하는 시제입니다. 현재완료와 마찬가지로 경험,계속, 완료, 결과의 용법이 있습니다.

022 JJangu suddenly realized that he had been part of skateboarding team.

짱구는 갑자기 자신이 계속 스케이트보드 팀의 일원이었다는 것을 깨달았습니다.

과거에 발생한 두 가지 동작, 사건이 단지 '시간적으로 다르다', 단지 '시간적으로 구분된다'라는 걸 표시하기 위해 어떤 게 선(先) 발생(먼저 발생) 어떤 게 후(後) 발생(나중 발생)인지 나타낼 때 사용하기도 한다는 점을 기억해야 합니다.

023 JJangu had been practicing a lot together with his friends long before he performed well in the skateboarding competition.

짱구는 스케이트보드에서 좋은 성적을 거두기 전부터 친구들과 함께 많은 연습을 해왔습니다.

024 That was the result I hadn't expected.

예상치 못한 결과였습니다.

025 They succeeded in hosting the olympic games. They had really longed for it.

그들은 올림픽 개최에 성공했습니다. 그들은 정말로 그것을 갈망해왔습니다.
(대과거에서 과거 개최결정소식있을 때까지 간절 염원)

026 When I came home this morning, I noticed that there had been a bag in the kitchen. *NCIS s12ep13 00:13*

오늘 아침 집에 왔을 때 부엌에 백 하나 있어왔다라는 거를 알아차렸어.
(오늘 아침 집에 돌아왔을 때, 부엌에 가방이 있다는 것을 알아차렸어).

027 **He was a mess.** *NCIS s12_ep14 00:20*

그는 엉망이었어요.

His girlfriend had committed suicide.

그의 여자친구가 자살했거든요.

028 **He knew we had been contracted by the Navy.**

NCIS s12_ep15 00:35

그는 우리가 해군과 계약되었다라는(해군에 의해 선정되어 계약되었다) 걸 알고 있었어요.

리딩·영문법편

Unit 2. 완료시제(미래완료)

특정한 미래시점의 이전(보통 과거시점)에 발생한 일이 어떤 행위가
이뤄지는 미래시점 또는 특정 미래 시점까지 영향을 미치는 것을 나
타냅니다.

● 경험

특정한 미래시점의 이전(다음 예문에서는 과거시점)에 발생한 일이 어
떤 행위가 이뤄지는 미래시점까지 영향을 미치는 것을 나타냅니다.

029 He will have asked me the same question ten times if he ask
(it) again.

과거에도 질문을 했었고 네가 그 질문을 한 번만 더하면, 열 번째 물어보는
셈이다(과거부터 미래까지 헤아려보면 열 번째가 되는 셈).

※횟수에 해당하는 말 나옴

030 He has met Kate 3 times so far.

그는 지금까지 kate를 3번 만나왔다.

031 If he meets Kate one more time, he will have met her 4 times.

그가 kate를 또 한번 더 만난다면, 그는 4번 만나는 셈이다.

● **계속**

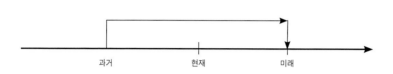

과거   현재   미래

032 By next year, he will have been a national sports team athlete for 4 years.

내년이면, 그는 4년 동안 국가대표선수인 셈이다.

미래①   미래② (기준시점, 영화관 도착)

033 By the time I arrive at the movie theater, the movie will have

(기준시점 미래 ②)

already finished.

내가 영화관에 도착할 무렵이면 그 영화는 이미 끝났을 것이다(끝나고 난 뒤 일 것이다).

※미래 ①에 finish 동사의 뜻 이미 발현(현실에 나타남)

　미래의 일(영화시간이란 것은 정해진 상영일정 시간이라 영화관 도착 시 영화가 끝났다라 는 것은 사실일 것임)이지만 미래 ② (기준 시점)에도 유효

034 **By the time I arrive at the movie theater, the movie will have**

(기준시점 미래 ②)

already begun.

내가 영화관에 도착할 무렵이면 그 영화는 이미 시작되었을 것이다(영화 못 본
놓친 부분있을 것이다).

미래의 일(영화상영시간이라는 거는 정해진 거라 영화관 도착 시 영화가
이미 시작했다라는거는 사실일 것임)이지만 미래 ② (기준시점)에도 유효

※미래 ①에 begin동사의 뜻 발현(현실에 나타남)

● **완료(케이스2)**

• **케이스2-1**

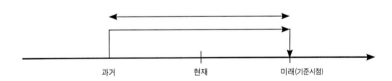

035 **We will have been immunized by tomorrow morning.**

우리는 (과거에 백십접종) 내일 아침까지는 면역력을 갖게 될 것이다.

• **케이스2-2**

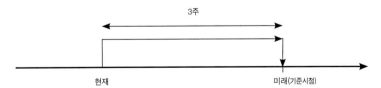

036 We will have been immunized 3 weeks later.

우리는 3주 후에 면역력을 갖게 될 것이다.

※오늘 백신 맞았는데→ 이미 백신맞은 거라 과거로 볼 수도 있지만 오늘이라는
시간은 현재로 봐서 현재로 봄

Unit 3. 진행시제

동작 행위의 진행 중(中)임을 나타내며 "동적이다"(생동감있다/왕성하다/마치 당장 내 눈앞에서 그럴 것 같다), 반복된다(넘친다/오버한다/확장된다(확장한다) → 아래 예문 ⑧, 그런 기미(색채, 경향) 뚜렷하다/도드라진다/확신하다(강조"→ 아래 예문 ⑧&⑨의 어감으로 이해하시면 되겠습니다.

현재 진행형, 과거진행형, 미래진행형의 세 가지 진행형 시제가 있습니다.

037 ①~and I am probably working tonight and tomorrow night?

NCIS s12_ep16 00:20

나는 아마 오늘 밤일하고 내일 밤도 일하겠지?
※가까운 미래를 나타내는 현재 진행형 시제

038 ②Maybe? Is your gut telling you something, Jethro?

NCIS s12_ep16 00:33

당신의 담력이 당신한테 뭔가 말하는 중인가요, Jethro?
※ 현재진행형

039 ③Bishop...what are you doing? Bishop *NCIS s12_ep17 00:04*

너 뭐하는 중이야?
※현재진행형

040 ④So he didn't tell Tony he was coming? *NCIS s12_ep17 00:06*

그래서 그가 Tony에게 그가 오는 중이었다고 말 안 했어요?
※과거진행형

041 ⑤What were they trying to plant? *NCIS s12_ep17 00:28*

그들이 뭘 심으려고 애쓰는 중이었어요?

※과거진행형

042 ⑥ You and agent Todd will be receiving copies of all our tests. *NCIS s1_ep01 00:27*

당신과 Todd 요원은 모든 우리 테스트의 사본을 받게 될 것이에요.

※미래진행형

043 ⑦Now you are being noisy. *NCIS s15_ep02 00:21*

너 소란스러운데, 지금.

※ be + being + 형용사 → 주어가 평소와 다른 모습을 보임(의아함이 느껴짐)을 나타내는 표현법

044 ⑧He's insisting on doing the autopsy himself.

NCIS s6_ep02 00:19

그는 본인이 직접 부검을 하겠다고 고집해요.

※ 비교해 보세요.

045 He insists on doing the autopsy himself.

→ *진행형시제 대신 현재시제 이용함*

046 ⑨ Come on. I saw this in a Harrison Ford movie.

NCIS s1_ep01 00:13

그러지 말고. Harrison Ford 나오는 영화에서 이런 거 보았어.

Well, that's hollywood speculation. You're asking for the real thing.

그건 hollywood 방식(사고방식)이고. 당신은 진짜인 것(비행기평면도)을 요구하잖아(확실히 명백히 그런 의도 또는 강조).

Unit 4. 완료+진행 조합으로 나타날 수 있는 시제

	과거	현재	미래
기본	was/were, did	am/is/are, do/does	will be, will do
①완료(have동사종류+p.p.)	had + p.p.	have/has + p.p.	will have + p.p.
②진행(be + ing)	was/were + ing	am/is/are + ing	will be + ing

완료+진행(①+②) 조합으로 나타날 수 있는 시제 3개

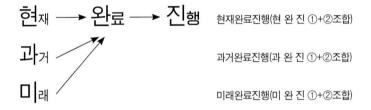

현재완료진행(현 완 진 ①+②조합)

과거완료진행(과 완 진 ①+②조합)

미래완료진행(미 완 진 ①+②조합)

과 완 진(과거완료진행) → had been + ing
현 완 진(현재완료진행) → have/has been + ing
미 완 진(미래완료진행) → will have been + ing

e.g.

큰 범주에서 현재 or 과거 선택

서술어부분이 과거 완료에다가 진행 조합한 시제라면 다음과 같이 됩니다.

	과거	현재	미래
기본			
①완료(have동사종류+p.p.)	완료		
②진행(be + ing)	진행		

had p.p.

be + ing.

= had been p.p.   be동사 p.p.는 been

047 JJangu had been practicing a lot together with his friends long before he performed well in the skateboarding competition.

짱구는 스케이트보드에서 좋은 성적을 거두기 전부터 친구들과 함께 많은 연습을 해왔습니다.

048 Tom and I had been seeing each other for months. *NCIS s1_ep11 00:29*

Tom과 나는 수개월 동안 서로 봐왔어요(서로 사귀었어요).

위에서 아래로 내려가는 조합(①+②)만 가능하며 아래에서 위로 올라가는 조합(②+①)은 불가능합니다.

서술어에 나타날 수 있는 모든 조합(12가지 시제)
단순 3개 → 과거, 현재, 미래
완료 3개 → 과거완료, 현재완료, 미래완료
진행 3개 → 과거진행, 현재진행, 미래진행
완료+진행 3개 → 과거완료진행, 현재완료진행, 미래완료진행

Unit 5 각 시제별 한국어 해석시 들어가는 한국어 표현

과거, 현재 관련된 영어문장 시제별 한국어 해석 시 들어가는 한국어 표현

▶·과거(기본) ~하였다(했다) ~했었다	**·현재(기본)** ~하다 습관적으로~하다
·과거완료 계속용법 → ~해오고 있었다	**·현재완료** 계속용법 → ~해오고 있다
완료/결과용법 →~하였다(했다)+" 상황/상태 유효"의 어감	경험용법 → ~한 적이 있다
※과거완료 완료/결과 용법의 해석 "하였다(했다)"로써 과거 기본시제의 한국말 해석 "하였다(했다)"와 동일(화살표로 표시된 부분)한데 과거완료의 완료/결과 용법은 과 거 기본시제와 달리 "대과거(더 옛날)시점에 서 발생(발현)된 동작/상태(상황)이 과거(옛날) 시점까지 유효하다"이 내용이 내포되있다라 는 점이 과거 기본시제의 의미/어감과 다름	~하였다(했다)+상황/상태 유효(완료/결과 용법) ※해석은 과거(기본)의 해석"~하였다(했 다)"과 동일하나 현재완료의 완료/결과 용법은 과거 기본시제와 달리 "과거(옛 날)시점에서 발생(발현)된 동작/상태(상 황)이 현재시점까지 유효하다"이 내용 이 내포되있다라는 점에서 과거 기본 시제의 의미/어감과 다름
※과거완료의미 두부분으로 나눠 생각 해 볼 수 있는데 ①대과거시점(더 옛 날) 동작/상황(상태)발현 + ②발현된 게 과거시점(옛날)까지 영향미침	**·현재진행** ~하는 中이다 **·현재완료+진행(두 시제결합시 계속용법)** ~해오고 있는(해오는) 中이다

②를 나타낼 수 있는 한국어 서술어부분에서 사용되는 한국어 조사가 없어서 과거 기본시제 해석인 "~하였다(했다)"로 해석이 되지만 눈에는 ②가 안 보여도 ②의 의미가 내포된 걸로 이해하셔야 합니다.

~한 적이 있었다(경험용법)

• **과거진행**
~하는 中 이었다

• **과거완료+진행**(두 시제결합시 계속용법)
~해오고 있었던 中이었다

과거시제 동사(서술어) 한국어 해석시 기본적으로 들어가는 한국어 조사 "였/았/었/ㅆ"
They discussed ~ ~ 논의하였다
He entered ~ ~ 들어갔었다
He resembled~ ~ 닮았다
A day dawned 밝았다

※완료시제 또는 완료결합(포함)시제의 의미살린 한국말해석시 포함되는 조사/어미
오다/오는/오고(계속용법)

-적-(경험용법)

미래 관련된 영어문장 각 시제별 한국어 해석시 들어가는 한국어 표현

•기본

~할 것이다

•완료

~하는 셈이다(경험)

~해오고 있을 것이다(계속)

했을 것이다/하는거 끝냈을것이다(완료)

•진행

~하는 중(中) 일 것이다

•완료+진행

계속 해오는 중일 것이다

미래시제 동사 한국말 해석시 기본적으로 들어가는 한국어 조사/어미 "일/을/ㄹ"

They will discuss 논의 할 것이다

They will enter 들어 갈 것이다

They will dawn 밝을 것이다

They will resemble 닮을 것이다

Will은 주어의 의지 나타낼 때 또는 뭔가를 예측할 때 사용되는 조동사인데

문장내용에 따라(상황에 따라) 의지 또는 예측의 뜻을 가짐

※완료시제 또는 완료결합(포함)시제의 의미살린 한국말해석시 포함되는 한국어 조
 사/어미

 오다/오는/오고(계속)

 -ㄴ/은/는 셈(미래완료경험)

※자주 읽으시기 바라며 영어문장 시제 한국말 해석 시 기본적으로 적용하시기 바람.

영어 문장의 서술어에 사용된 시제의 정확한 의미 파악 및 한국어 해석을 위해 필요함

팝송 한 소절

049 <Queen - You're My Best Friend>

…중략…

Oh, you're the best friend that I ever had
I've been with you such a long time

오, 너는 내가 지금까지 가진(알아왔던 친구 중) 최고의 친구야

정말 오랫동안 당신과 함께 해왔어요

※ 정식으로는 I have ever had(현재완료)가 맞으나 I ever had는 비격식적 표현

Chapter 2.

분사:
(달리다 →)달리는
동사의 모습을 변화시켜
형용사로 사용한다.

분사는 형용사의 일종이라고 볼 수도 있으며 형용사처럼 명사수식 역할을 하거나 주격보어 또는 목적격보어로 쓰입니다.

e.g.

run	달리다
running cheetah	달리는 치타

🎞️ 한정적용법

● ing(현재분사) → 능동(~하게 하는), 진행(-중인)

e.g.   shocking news, running horse

050 **We prepare for it, but it's still shocking.**   *NCIS s11_ep06 00:08*
우리는 그것(그 사항)에 대비하는데 여전히 쇼킹해

● **V-ed**(이하 p.p.로 칭함, 과거분사) → **수동**("-된,-당한,-(피해를)입은), 완료

e.g. excited audience, finished goods("완성품")

051 **Terrorism, drugs, organized crime...** *NCIS s6_ep05 00:11*
테러리즘, 마약, 조직화된 범죄

052 **Travolta plays this boy born with an immune deficiency.**

NCIS s2_ep22 00:16
Travolta는 면역 결핍된 채 태어난 아이를 연기하는 거야.

서술적용법

● **ing**(현재분사)

• **be다음 주격보어**

053 **The movie was amazing.**
그 영화는 놀라웠다.

※amazing (칭찬의 의미로 감탄스러울 정도로) 놀라운

• **be 다음 사용되어 진행형시제(be와 ing 두 요소가 결합되어)구성함**

- 목적어 다음 목적격보어

054 I saw someone running in the park.
나는 공원에서 누군가 달리고 있는 것을 보았다.

● 과거분사 p.p.

- 수동태 be + p.p

055 I was totally touched.
나는 완전 감동받았다.

- 완료 have/has/had + p.p.

※ch1 시제 내용 참고

- 목적어 다음 목적격보어

056 The movie made me bored.
그 영화는 나를 지루하게 만들었다.

057 Full confession, ten minutes. Don't get excited.

NCIS s11_ep06 00:37

완전한 자백, 10분, 흥분하지 말라고

팝송 한 소절

058 <BFMV(Bullet For My Valentine) - **Hearts Burst Into Fire**>

I'm coming home!

I've been gone for far too long!

Do you remember me at all?

I'm leaving

[Chorus]

I've been far away

When I see your face

My hearts burst into fire!

Hearts burst into fire!

…중략…

집에 가고 있어요!

너무 오랫동안 떠나있었죠

저를 전혀 기억하시나요?

떠날게요

[코러스]

멀리 떨어져 있었어요

내가 네 얼굴을 볼 때

내 마음이 불타오르고 있어요!

심장이 터질 것 같아요!

※ I'm coming home! →진행형시제

※ be동사 다음에 나올 수 있는 보어역할하는 말 중 하나 → 부사(away)

수동태:
완전감동
I'm so touched

"완전감동", "태어나다(I was born)"처럼 일 상생활에서 능동태 아닌 수동태의 문장으로 표현하는 경우가 있습니다.

수동태의 구성은 아래와 같습니다.

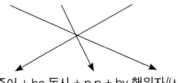

주어 + 타동사 + 목적어(능동태문장)

주어 + be 동사 + p.p + by 행위자/(사건 등의)원인

🎞 능동태/수동태 의미

● 주어가 동작을 직접 하는 것(능동태)

059 The explosion in their classroom scared students.
그들 교실에서 폭발은 학생들을 놀라게 하였다.

● 주어가 행위의 영향받는 것(수동태)

060 Students were scared by the explosion in their classroom.

학생들은 놀라게 되었다 그들 교실 안에서 폭발에 의해서(직독직해).

학생들은 그들 교실 안에서 폭발에 의해서 놀라게 되었다(한국어어순).

※한국어 해석 시 "당하다","받다", "(피해,etc) 입다"라는 말이 들어감.

현재

061 It is obvious that students are scared by any shooting sound in their classroom.

학생들이 그들 교실 안에서 어떤 총격 소리에(어떤 총격 소리라도) 놀란다는 것은 분명하다.

과거

060 Students were scared by the explosion in their classroom.

학생들은 그들 교실 안에서 폭발에 의해서 놀라게 되었다.

미래

062 Students will be scared if there is explosion in their classroom.

학생들은 그들 교실 안에서 폭발이 있는 경우 놀랄 것이다.

※ 062 예문 → 미래시제(will사용)에다가 수동의미 추가반영 문장인데 조합어인 영어의 특징반영되는 것임

063 They told me he got scared and took off. NCIS

s3_ep04 00:39

그들이 말하기로는 그는 겁먹고 떠났다는데(그들이 나에게 말했는데 그가 겁먹고 떠났다고).

chapter 1. 시제 Unit 4에서 보았던 표에서 맨 아래에 수동 이름의 행을 추가하여 서술어 다양한 모습을 살펴보겠습니다.

문법요소 조합(결합)

서술어부분 시제 및 수동의미 결합(조합)방식 표시용 테이블

	과거	현재	미래
기본	was/were, did	am/is/are, do/does	will be, will do
①완료(have동사종류+p.p.)	had + p.p.	have/has + p.p.	will have + p.p.
②진행(be + ~ing)	was/were + ing	am/is/are + ing	will be + ing
③수동(be + p.p.)	was/were + p.p.	am/is/are + p.p.	will be + p.p.

● 다양한 서술어 모습으로 시제와 수동 조합의 경우의 수

현재 → 완료 → 진행 현재완료진행(현 완 진 ①+②조합)

(과거) → 완료 → 수동 현재완료수동(현 완 수 ①+③조합)

→ 진행 → 수동 현재진행수동(현 진 수 ②+③조합)

대표적으로 현재, 과거로 시작하는 조합만 예로 들어보겠습니다.

서술어 부분이 현재 완료시제에다가 수동의미 결합(①+③조합)인 경우

	과거	**현재**	미래
기본	was/were, did	am/is/are, do/does	will be, will do
①완료(have+p.p.)		**완료**	
②진행(be + ~ing)			
③수동(be + p.p.)		**수동**	

↓

have+p.p

be+p.p.

= Have been p.p.　　be동사 p.p.는 been

064 Local police think she may have been abducted.

NCIS s3_ep06 00:03

지역 경찰관은 그녀가 유괴당했었을지 모른다고 생각하던데.

서술어 부분이 과거 진행시제에다가 수동의미 결합(②+③조합)인 경우

	과거	현재	미래
기본	was/were, did	am/is/are, do/does	will be, will do
①완료(have+p.p.)			
②진행(be + ~ing)	**진행**		
③수동(be + p.p.)	**수동**		

↓

was/were + ~ing

be+p.p.

= was/were being p.p.　　be동사 ing(현재분사)는 being

065 **It was being used by two of your classmates.**

NCIS s3_ep13 00:35

그것은 너의 반 친구 두 명에 의해 사용되는 중이었어.

위에서 아래로 내려가는 조합(①+②, ①+③, ②+③)만 가능하며 아래에서 위로 올라가는 조합(②+①, ③+①, ③+②)은 불가능합니다.
그리고 ① ② ③ 중 두 개씩 조합만 가능(①+②+③은 불가능)

※ "주다"의 의미를 갖는 동사가 들어간 능동태 문장이 수동태문장으로 되면 반대말("받다")이 된다는 점 참고 바람.
　give(주다), present(선사하다), owe(줄거있다), provide(제공하다), offer(제공하다), award(수여하다)
→be given(받다), be presented(선사되다), be owed(받을 거있다), be provided(제공받다), be offered(제공받다), be awarded(수여받다)

066 **Bartex was recently awarded a $200,000,000 design contract.** *NCIS s1_ep17 00:25*
Bartex는 2억$ 디자인 입찰계약 수주했어요.

067 **The next award to be presented is the Meritorious Civilian Service Medal.** *NCIS s3_ep11 00:02*
선사될 다음 수상은 민간인 서비스 공로 메달입니다.

팝송 한 소절
068 **<Daniel Powter - bad day>**
　…중략…
　You kick up the leaves and the magic is lost
　네가 그 잎들을 차버렸고, 마술은 사라졌어

※ the magic is lost → 수동태

문장의 5형식

Unit 1. 5가지 문장의 형식

문장을 구성하는 성분의 조합에 따라서 영어 문장은 5가지의 형식(패턴)을 가집니다.

- **1형식: 주어 + 자동사**
- **2형식: 주어 + 자동사 + 주격보어**
- **3형식: 주어 + 타동사 + 목적어**
- **4형식: 주어 + 타동사 + 간접목적어 + 직접목적어**
- **5형식: 주어 + 타동사 + 목적어 + 목적격보어**

1, 2형식 문장에 대한 설명은 여기에서는 생략하고 좀 더 비중 있는 3, 4, 5형식에 대해 설명을 하겠습니다.

Unit 2. 3형식과 4형식을 만들어주는 타동사

전치사 "to~"의 내포된 의미 중 하나는 "~로(장소/지점)"의 의미를 가지며 물리적인 단순 움직임(이동)/도달이 있는 경우에 사용됩니다. to 다음에 나오는 단어(명사/대명사)는 동사 영향력이 미치는 수신인(종착지)로 볼 수 있 수 있습니다. 이 사항을 염두에 두고 다음의 설명을 읽으시기 바랍니다.

🎞 3형식 문장(주어+타동사+목적어)만 구성해주는 타동사

(~을/를)

소	설	맡	공	인	제	자	폭
소개하다	설명하다	맡기다	공표하다	인정하다	제안하다	자백하다	폭로하다
Introduce	describe explain put	leave trust	announce	admit	propose	confess	disclose
소개하다	설명하다	맡기다	공표하다	인정하다	제안하다	자백하다	폭로하다

위에 나온 동사들은 반드시 다음의 문장구조를 취합니다(4형식 문장구조 취할 수 없습니다).

주어 + 타동사 + ①목적어 + to + ②사람/사물(목적어가 향하는 대상/동사 영향력 수신인)

② 사람/사물은 to와 함께 부사구를 구성하고 있는데 **to**가 빠지고 ②사람/사물이 간접목적어로써 타동사와 ①목적어사이에 절대 올 수 없습니다(**X**).

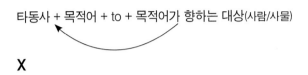

타동사 + 목적어 + to + 목적어가 향하는 대상(사람/사물)

X

069 Sit down and describe him to a sketch artist(O).

NCIS s2_ep13 00:24

Sit down and describe a sketch artist him(X).

앉아서 스케치하는 미술가에게 그를 설명하세요.

🎞 3형식 문장과 4형식 문장 구성 둘 다 가능한 타동사

※ 한글과 영어의 유사한 발음을 이용하여 암기

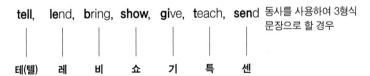

tell,	lend,	bring,	show,	give,	teach,	send	동사를 사용하여 3형식 문장으로 할 경우
테(텔)	레	비	쇼	기	특	센	

※ 영어어휘 발음과 한국어 발음 유사성 이용하였음

물건/내용(목적어 or 직접목적어) 도달 → to(~로/~에게) + 수신인(또는 수신인에 준하는 개체 or 간접목적어)

이 타동사가 사용된 문장구조는 주어 + 타동사 + 목적어(물건/전달하려는 내용 or 직접목적어)+ to + 수신인(간접목적어 또는 수신인으로 간주되는 개체, 이하 수신인으로 칭함)입니다.

070 **I bring a lot** (of things) **to the table.** *NCIS s20_ep09 00:01*
나는 (유용한) 많은 것(아이디어 등)을 테이블 동석자(동료)에게 내놓잖아(공여하잖아).

위에 언급된 "소 설 맡 공 인 제 자 폭" 동사와 달리 4형식 문장으로 변환가능합니다.

두 단어로 구성된 부사구(to + 수신인)를 분리(해체)하면서 전치사 to다음 나오는 수신인을 (타)동사와 목적어 사이에 위치시키는(넣는) 구조를 취할 수 있습니다.

I bring the table a lot (of things)
→ 이론상 틀린 것은 아닌데 실제 생활에서는 보통 관용표현으로서 위 3형식으로 된 문장으로 구사합니다(Part 01 토플이 풀리는 관용표현과 어휘 Day 12참조).

• 3형식에서 4형식으로

I bring a lot (of things) to the table.(o)

I bring the table a lot (of things). (o)

• 4형식에서 3형식으로(전치사 to가 추가됨)

I bring the table a lot (of things). (o)

I bring a lot (of things) **to** the table.(o)

※ a lot of things 대신 of things 생략한 a lot으로만 표현하기도 함

주어+ 타동사 + 수신인 + 목적어

이 구조의 문장인 경우 달리 설명하면 타동사와 목적어 사이에 위
치하는 수신인을 영어 문법에서는 간접목적어라는 용어로 목적어는
직접목적어라는 용어로 표현하며 주어+타동사+간접목적어+직접목
적어 이 문장구조를 영문법에서는 4형식문장이라고 합니다. 반대로
4형식에서 3형식으로 변환시 (타)동사와 직접목적어 사이에 있는 간
접목적어가 뒤로 빠지며(이동하며) 전치사를 필요로 하게 됩니다. 전
치사가 살아나게(추가) 됩니다.

직접목적어는 동사의 직접적인 대상이기 때문에 영어(문법)에서 직
접목적어(Direct Object 줄여서 D.O.)라고 하며 간접목적어는 Indirect
Object I.O.라고 합니다.

find,	make,	cook,	choose,	buy,	get	동사를 사용하여
｜	｜	｜	｜	｜	｜	3형식 문장으로 할 경우
파	**마**	**쿡**	**츄**	**바**	**겥**	
찾아주다,	만들어주다,	요리해주다,	골라주다,	사주다,	쥐어주다 (얻게 해주다)	

위 영어동사의 한국말 뜻에는 "주다"라는 말이 들어가 있는데 이
"주다"의 의미는 "선의, 호의를 베풀다, 이롭게 해주다"의 의미로 보시
면 되겠고 베푸는 선의, 호의의 수혜자가 있기 마련입니다.

전치사 "for~"의 내포된 의미 중 하나는 "~한테/위한 혜택(이득)"이라는 의미인데 이 의미와 위 영어동사들의 의미는 자연스럽게 어울린다고 볼 수 있습니다.

위 동사가 사용된 문장구조는 주어+ 타동사 + 목적어(or 직접목적어) + for + 수혜자(간접목적어 or 수혜자에 준하는 또는 수혜자로 간주되는 개체, 이하 수혜자로 칭함)인데 설명과 이전 페이지에서 언급된 "테(텔) 레 비 쇼 기 특 센" 동사와 마찬가지로 전치사 for다음 나오는 수혜자를 타동사와 목적어 사이에 위치시키는(넣는) 구조를 취할 수 있습니다. 이렇게 3형식에서 4형식으로 변환 시 부사구(for + 수혜자)가 분리(해체)되면서 전치사 for다음 나오는 수혜자를 타동사와 목적어 사이에 위치시키는(넣는) 구조를 취할 수 있습니다.

071 **Got a patient upstairs for you.** *NCIS s02_ep01 00:26*
당신을 위해 위층에 환자 한 명 얻게 해줬어요(대령했어요).

072 Got you a patient upstairs. (o)

주어+ 타동사 + 수혜자 + 목적어 이 구성의 문장인 경우 주어 + 타동사 + 간접목적어 + 직접목적어의 4형식문장이 되겠습니다. 4형식에서 3형식으로 변환의 경우 위 "테(텔) 레 비 쇼 기 특 센" 동사에 나온 설명과 동일합니다. 다만 살아나는(추가되는) 전치사가 for란 점이 다른 점입니다.

● **ask(질문하다, 묻다), inquire(질문하다, 묻다) 동사를 사용하여 3형식 문장으로 할 경우**

3형식 문장구조는 주어 + 타동사 + 목적어(질문하려는 내용 or 직접 목적어)+ of + 답변자(간접목적어 or 질문받아 답하는 사람, 이하 답변자로 칭함)인데 주어 + 타동사 + 답변자 + 목적어 이 구성의 문장으로 할 경우 주어 + 타동사 + 간접목적어 + 직접목적어의 문장구조인 4형식문장이 되겠습니다. 4형식에서 3형식으로 변환의 경우 "테(텔) 레 비 쇼   기 특 센" 동사와 "파 마 쿡 츄   바   " 동사 설명과 동일합니다. 다만 살아나는(추가되는) 전치사가 of란 점이 다른 점입니다.

073 **We asked a lot of questions of you**(3형식).

074 **We asked you a lot of questions**(4형식).
우리는 많은 질문을 당신한테 했었어요.

Unit 3. 5형식문장을 구성하는 타동사

팅커벨로 **이름** 지은 요정을 **찾아 큰** 숲속에서 요정을 **부른다** 팅커벨!

5형식문장 만들어주는 타동사

think, believe, name, find, consider, suppose, call
(팅)   (벨)   (이름) (찾아) (큰)   (숲)   (부른다)

※ name의 뜻 "이름(명사), 이름짓다(동사)", find의 뜻 "찾다", call의 뜻 "부르다/부른다"
※ 암기방법으로 그외 영어어휘 발음과 한국어 발음 유사성 이용하였음

그리고 주요 5형식동사 keep, leave

Keep → 외롭게 하다(지속)

leave → 외롭게 방치하다(지속)

※ 목적격보어 부분 한국말 해석을 주목하시고 이런 해석방식을 기본적으로 해보시기 바람
※ 어떤 동사의 경우 다양한 문장 형식을 구성하는 동사 쓰임을 알고 계셔야 하는데 동사(자동사/타동사) **keep**은 보통 3가지 문장 형식(2 ,3, 5)을 구성해주는 서술어로 사용되며 동사(자동사/타동사) **leave**는 4가지 문장 형식(1,3,4,5)을 구성해주는 서술어로 사용됨 **e.g. keep quiet** (조용히 해, 2형식), **keep a diary** (다이어리를 보관하다, 3형식), **keep her quiet**(그녀를 조용하게 한다, 5형식), **leave for~**(향해 떠나다, 1형식), **leave the island**(그 섬을 떠나다, 3형식), **leave you my luggage**(당신에게 내 수화물을 맡기다, 4형식), **leave her alone**(그녀를 외롭게 한다, 5형식)

목적격보어가 형용사(기본적으로 형용사가 나오나 가끔 전치사 하나 또는 전명구(전치사+명사로 구성된 구, 이하 전명구로 칭함)나오는)인 경우

● "~(형용사)하게/되게"

075 Keep her quiet.

그녀를 조용하게 해라(상태지속).

076 Keep her <u>under control</u>.

(전치사+명사→ 전명구)

그녀를 통제되게 해라(상태지속).

077 I kept her quiet.

나는 그녀를 조용하게 하였다(상태지속).

078 Leave her alone.

그녀를 외롭게 해라(상태지속).

079 I left her alone.

나는 그녀를 외롭게 (방치)하였다(상태지속).

080 Keep it cold. *NCIS s01_ep01 00:16*

그것을 춥게 해라.

081 I want to keep <u>it</u> on

music

계속 재생되게 하는 걸 원해.

● "~(형용사)하다(라)고"

인지 동사

Find(느끼다, 알게되다)

082 I found her interesting.

그녀를 흥미롭다라고 느꼈다.

083 I considered her interesting.

그녀를 흥미롭다라고 여겼다.

084 Travelers thought this way of eating foolish.

여행자들은 생각했다 이런 먹는 법 어리석다고(직독직해).
여행자들은 이런 먹는 법 어리석다고 생각했다(한국어어순).

085 I actually find that interesting. *NCIS s01_ep14 00:08*

나는 사실 그 것(그 말씀)이 흥미롭다라고 느껴요.

🎞 목적격보어가 명사인 경우

● "~(명사)로/으로"

086 I made her human.

그녀를 인간으로 만들었다.

087 I named the fairy Tinkerbell.

그 요정 팅커벨로 이름지었다.

088 I call her Tinkerbell.

그녀를 팅커벨로 부르다.

089 I'm going to call it blast from the future. *NCIS s01_ep02 00:12*

나는 그것을 미래로부터 온 폭풍으로 부를꺼야

목적격보어가 동사원형/to-v/ing(현재분사)인 경우

● "~(행위)하는거"

① **A**sk/**A**llow/**C**ause/**E**nable/**O**rder/**F**orce

※암기방법 - 에이스(ACE) OR(또는) F (학점 연상해보세요)
요청하다/허락하다/유발시키다/할 수 있게하다/명령하다/강요하다

090 I caused her to move.

그녀로 하여금(그녀를) 움직이는거 유발하였다.

091 Enlisted men aren't allowed to carry weapons on ship.

NCIS s01_ep04 00:16

사병(병사)들은 배에 무기소지하는 거를 허용하지 않아요.

② 지각동사 watch, see, hear (지각동사의 경우 목적보어가 동사원형
또는 ing(현재분사) 가능)

092 I watched her flying

그녀가 나는 거 보았다.

※flying 대신 동사원형인 fly가능.

093 I heard him groan. NCIS s01_ep02 00:03

나는 그가 신음하는 거 들었다.

094 I heard her name called

※ (지각동사의 목적보어가 p.p.인 경우).

그녀 이름 불리는 거 들었다(그녀 이름 불리게 되는 거 들었다).

● "~(행위)하는 거/하게"

사역(使役)동사

Make(수학공식 equation)이 그렇듯 100% 성립의 의미를 내포)동사
는 다른 사역동사인 have동사 그리고 get동사와 의미가 비슷하지만
다른 점은 have, get에 비해 상대적으로 강한 의미를 가지며 강제성
이 기본적으로 100%이다라고 이해하시면 되겠습니다.

095 I made her move.

그녀로 하여금(그녀를) 움직이는 거 하게 하였다.

096 I had her move.

그녀로 하여금(그녀를) 움직이는 거 하게 하였다.

097 I got her to move.

그녀로 하여금(그녀를) 움직이는 거 하게 하였다.

※ 사역동사 get은 목적격보어로 올 수 있는 형태 중 하나인 부정사가 목적격보어
로 오는 경우 to-v(to부정사)가 오고 make/have는 원형부정사(동사원형)가 목적
격보어가 와야 함

098 I let her move.

> 그녀로 하여금(그녀를) 움직이는거 허락하다(현재시제).
> 그녀로 하여금(그녀를) 움직이는거 허락하였다(과거시제).
> 그녀가 움직이는거 하도록 한다(현재시제).
> 그녀가 움직이는거 하도록 하였다(과거시제).

※let(현재)-let(과거)-let(과거완료)

let동사는 "목적어로 하여금(목적어가) 행위 하는거 하도록 한다"의
의미인데 사역+허가(허락)의미라고 볼 수 있습니다.
다음 unit에서 have, get 사역동사로 쓰임과 연장선상에서 이 두
동사의 다른 쓰임을 알아보겠습니다.

※주요 5형식 동사 수동태 패턴(특히 지문독해 시 도움됨, 독자분들 나름대로 상황 또는
이미지를 연결시켜 암기 바람.)

e.g. LA(l a)→미국도시)

be **c**onsidered **b**eautiful. 아름답다라고 여겨지다.
be **k**ept **s**eparate. 분리되게 유지되다.
be **l**eft **a**lone 외롭게 방치되다. →미국도시 **LA**
be **m**ade **p**ossible 가능하게 만들어지다
be **n**amed **J**Jangu. 짱구로 이름지어지다.
be **t**hought (to be) **d**iligent. 부지런하다라고 생각되다.
be **f**ound **a**live. 살아 있다라고 알게 되다(발견되다).

CB

KS

LA

MP

NJ

TD

FA

※독해지문에서 5형식동사 수동태패턴이 나올 때마다 확인하시기 바람

Unit 4. have동사와 get동사

Unit 3에서 잠깐 설명 드렸지만 사역동사의 쓰임을 정확히 파악하실 수 있게 "사역동사"란 말의 의미를 설명드리자면 이렇습니다.

주어가 주어의 의지로(또는 주어의 **의도**대로) **위력**(威力)또는 **영향력**을 발휘하여(또는 영향력이 있어) ⓐ목적어로 하여금 목적보어라는 어떤 **동작(행위)를 일으키게 하다**/목적보어라는 어떤 **동작(행위)**가 나타나게 하다 또는 ⓑ목적어로 하여금 목적보어라는 어떤 **최종 결과(상태)**가 나타나게 하다.

🎞 사역동사로서의 쓰임

● 목적격보어가 동작(행위)의 의미를 갖는 경우(ⓐ)

이 경우에는 have사용시에는 목적격보어의 형태가 동사원형이며 get사용시에는 to-v형태가 됩니다.

have와 get 둘다 가끔 목적격보어로 행위(동작)의 성질이 있는 ing(현재분사)가 (마치 지각동사의 목적격보어자리에 ing오는 것처럼) 오는 경우도 있습니다(아래 예문 101,102와 177 참조).

참고로 독자의 이해를 돕기 위해 설명하자면 have나 get은 획득하다, 확보하다, 가지다 의미가 있는데 이 의미의 연장선상에서 주어가 우월적 위치에 있어 마치 목적어를 손아귀에 넣는 것처럼 되어 목적어에 위력(영향력)행사가 가능하다라고 생각하실 수도 있겠습니다.

다른 어떤 책에서는 have, get이 사역동사로 쓰이는 경우 이 동사의 해석을 "시키다"라고 설명하기도 합니다.

099 I had ho-soon(호순) stand up.

　나는 호순을 일어서게(일어서는거 하게) 하였다.

※ ho-soon(호순): 개(강아지)이름

100 I got ho-soon(호순) to stand up

101 I can't have you playing the guitar outside with a cold.

　나는 네가 감기에 걸린 채 밖에서 기타치게끔 할 수 없다.

102 I had(got) him laughing at my funny stories.

　나는 그로 하여금 나의 웃긴 이야기에 (웃는 거 하게, 웃게끔/웃도록) 하였다.

103 Why would they have him asking for his mother?

NCIS s3_ep18 00:33

　왜 그들은 그로 하여금 그의 엄마를 요청하도록 하는 거지?

● 목적보어가 상태(최종 결과(상태))의 의미를 갖는 경우(ⓑ)

이 경우에는 have나 get둘 다 p.p. 또는 단어하나(형용사/부사) 또는 구 형태의 말이 목적보어에 오게 됩니다.

104 I had them arrested.

　나는 그들로 하여금 체포상태 되도록(되게) 하였다(그들을 체포하였다).

105 **I got the event cancelled.**

나는 그 event로 하여금 취소상태 되도록(되게) 하였다(그 event를 취소하였다).

106 **I can't afford to have them idle**(상태)**.**

나는 그들이 태만(나태한)상태로 되게할(놔둘) 여유가 없다.

107 **I had the cat down.**

나는 그 고양이로 하여금 내려온 상태로 되게 하였다(나는 그 고양이 끌어내렸다).

108 **I had a car ready.**

나는 자동차로 하여금 준비된 상태로 되게 하였다(나는 자동차 준비하였다).

109 **I got our ball back.**

나는 우리 공으로 하여금 되찾은 상태로 되게 하였다(나는 우리 공을 되찾았다).

110 **Have the dinner hour free.**

나는 저녁시간으로 하여금 빈 상태로 되게 하였다(나는 저녁시간을 비웠다).

111 **You need to get the radiators on.**

당신은 라디에이터(난방장치)로 하여금 켠 상태로 되게 할 필요가 있어요(켜세요).

112 **We have the whole week off.** *NCIS s12_ep10 00:40*

우리는 일주일 통째로 쉬는 상태로 하는거죠.

There are other agents here, Dad.

다른 요원들이 있어요, 아빠

113 **Have his arm around her shoulders.**

그의 팔로 하여금(그의 팔이) 그녀의 어깨에 있는 상태로(어깨에 놓이게) 해라
(그의 팔 그의 어깨에 올려 놓도록 해라).

114 **The Air force general had every airplane in the air.**

그 공군 장군은 모든 비행기 공중에 있는 상태로 하였습니다(그 공군 장군은 모든 비행기가 공중에 있게끔 하였습니다).

※ 한국어를 구사하는 한국 사람에게는 위 영어문장의 한국말 해석이 부자연스럽게 느껴질 수 있지만 have, get이 사용된 5형식 문장에서 목적보어가 상태(최종 결과(상태))의 의미를 갖는 경우(ⓑ)의 속성(성질)을 살린 해석인 점 감안하시고 양해바람.

● **have get동사가 사용된 서술어부분(세부분구성)의 구조를 정리하면 이렇습니다.**

① **목적격보어가 동작의 의미인 경우**

have + 목적어 + **동사원형/ing(현재분사)**
↑
목적격보어

get + 목적어 + **to-v/ing(현재분사)**
↑
목적격보어

② **목적격보어가 상태의 의미인 경우**

Have/get + **목적어 + p.p./형용사/부사/전치사/목적격보어 역할하는 구**
↑
목적격보어

🎬 have, get 동사의 사역동사 아닌 다른 쓰임

이 쓰임의 경우는 **주어의 의지(의도)와 상관없이 또는 주어의 의지에 반하여** 목적어(주어의 소유물, 소지품 또는 주어와 관련된 일/사항,etc)가 목적격보어자리에 있는 영어단어(형용사→ e.g. ~ don't have any cars available(the rental agency에서) 또는 p.p.) 뜻에 해당하는 상태에 있는 경우(e.g. " ~ had...stew left over " 해석→ "~ ...stew가 남은 상태로 있었다" 미드에 빠지면 토플이 풀린다 1권 미드 scene 18-2, 가능하시다면 참조바랍니다)인데 have, get의 목적격보어로 특히 손해,상해 등의 부정적의미의 p.p.가 쓰이는 경우 보통 해석을 "당하다", "받다", "되다"로 합니다.

115 I got(had) my back hurt.
허리 다치게 되었다(다쳤다)

116 I got(had) my purse stolen.
내 지갑 도난당하는 상황에 처했다(지갑 도둑맞았다).

🎬 have 동사만의 사역동사 아닌 다른 쓰임

주어의 의지와 상관없이 목적어(외부의 상황이나 외부인)가 목적격보어자리에 있는 영어단어 뜻에 해당하는 동작을하는 상황에 주어가 처해있어서 주어에 영향주다(영향있다)라고 이해하시면 되겠습니다. 좀 다르게 말하면 "목적어+목적보어(두 단어 결합)의 내용을 주어가 겪다"라고 이해하셔도 되겠습니다.

have는 겪다/(같이) 있다/함께하다/대접하다(i.e. thank you for having us 방문손님이 주인한테 하는 또는 주인이 방문손님한테 하는 표현) 의미가 있는데 이 의미와 관련지어 이 의미와 연결지어(이 의미의 연장선상에서) 목적어+목적보어(두 단어 결합)의 내용이 주어와 함께하다/(같이)있다로 이해해주서도 되겠습니다.

목적격보어자리에 ing(현재분사)가 나오는 경우입니다.

117 **We haven't had many applicants applying lately.**
우리는 최근에 많은 지원자가 지원하는 상황에 있다.

118 **We have an asteroid coming toward the Earth.**
지구를 향해 다가오는 소행성이 있습니다.

팝송 한 소절
119 **<Halestorm – Here's To us>**
…중략…

But nothing lasts forever
Here's to us, here's to love
All the times, that we messed up

그러나 아무 것도 영원하지 않아요(영원히 지속되지 않아요).
우리를 위해 건배, 사랑을 위해 건배
우리가 망쳤던 모든 시간들(걱정말아요…괜찮아요!)

※전치사 to의 쓰임 → 건배(또는 위로)의 말이 물리적 단순이동하여 수신인(수신인에 준하는 개체)에 도달

PART 02 · 영어가 풀리는 얨몀법(이면 생애 되는 얨몀법)

120 **<Mark Slaughter - The real thing>**

…중략…

they may find it one day just like us

they'll end up together

그들도 언젠가 우리처럼 그것을 발견할지도 몰라요.

결국 함께하게 될 거예요.

※ 2형식 문장을 만들어주는 2형식 동사

① 2형식 동사 get, grow, come, keep, stay, remain, end up, etc

② 2형식 동사(주어의 의지로 감각하는 5형식 동사(e.g. watch)와 달리 외부의 대상으로
   부터 감각되는 경우) seem(느낌), look(시각), sound(청각), taste(미각), smell(후
   각)+형용사 ~느껴진다
   seem(느낌), look(시각), sound(청각), taste(미각), smell(후각)+ like + 명사 ~처
   럼 느껴진다

※ end up 관련하여 혹시 가능하시다면 미드에 빠지면 토플이 풀린다 1권 Day
   128 wind/end up을 참조 바람

Chapter 5.

동사구문:
문장 구조를 결정하는
주요 동사

🎞️ 동사 +목적어 +to부정사(목적보어) 구조를 가져오는 동사

Ask/Allow/Cause/Enable/Order/Force
두문자암기법 → 에이스(ACE) OR(또는) F (학점 연상해보세요)
요청하다/허락하다/유발시키다/할 수 있게하다/명령하다/강요하다

121 **Expect him to drop?** *NCIS s01_01 00:31*

그가 쓰러지는 거 기대해요(기다려요)?

🎞️ 주어 + inflict/impose/force + A(B에 가해지는 내용) + on + B

가하다/부과하 다/강요(강제)하다

※ A(B에 가해지는 내용)는 agony(고통),tax(세금),etc 임

주어 +   타동사   + A + on + B 구조

122 **The typhoon inflicted severe damage on the country.**

태풍이 그 나라에 심각한 피해를 끼쳤다(가했다).

123 **Until Otis forced it on 'em.** *NCIS s20_ep06 00:36*

Otis가 그것을 강제력으로 그들에게 가했을 때까지.

🎞 부여, 제공하다 의미의 동사

provide 제공하다
supply 공급하다
present 선사/제시하다
주어 + entrust 맡기다/위임하다 + A(목적어) + with + B(something)
Equip 장착시키다
endow 부여하다

주어 + 타동사 + A + with + B 구조

124 Nature has endowed Mary with intelligence.
자연은 Mary에게 지능을 부여하였다.

125 Would Dr. Mallard entrust his job with just anyone?

NCIS s15_ep04 00:25

Dr. Mallard가 그의 일은 그냥 아무에게나 맡기겠어요?

🎞 박탈/제거 의미의 동사가 사용된 문장의 구조

rob 강탈하다
deprive 박탈하다
주어 + cure 치료하다 + A(목적어) + of + B(something)
clear 제거하다

주어 + 타동사 + A + of + B 구조

126 **The criminals robbed "Ace" bank of a lot of money.**

그 범죄자들은 "Ace"은행에서 많은 돈을 강탈하였다.

127 **I would be deprived of all my oxygen.** *NCIS s13_ep14 00:25*

내 산소 전부를 박탈당할 거에요.

🎞️ 방해하다 의미의 동사가 사용된 문장의 구조

주어 +
| keep 막다 |
| stop 막다 |
| hinder 막다 |
| prohibit 금지하다 |
| prevent 예방하다 |
| ban 금하다 |

+ A(목적어) + from B(명사 or 동명사)

주어 + 타동사　　　　　　**+ A**　　**+ from +　B 구조**

cf) forbid A to-v 금하다 cc

128 **Removing broken bottles from pathways will prevent people from being hurt.**

사람들이 다니는 길에서 깨진 병들을 제거하는 것은 사람들이 다치는 것을 예방할 것이다.

129 **Lawyer. Already banned her from the building,**

NCIS s7_ep14 00:33

변호사님 이미 그녀를 빌딩으로부터(빌딩에) 출입금지시켰습니다.

🎬 지정하다, 돌리다 의미의 동사가 사용된 문장의 구조

주어 +
assign 할당 배정 지정하다
ascribe -의 탓으로 돌리다
Attribute -의 탓으로 돌리다
+ A(목적어) + to + B(something)

(목적어 부분에 결과, to이하에 원인의 내용이 나옴)

주어 + 타동사   **+ A**   **+ to + B 구조**

130 I want to attribute my success to good luck.

나는 나의 성공을 행운으로 돌리길 원한다.

131 Seaman Russell MacDonald. 19. Assigned to the USS Foster.

NCIS s1_ep04 00:02

the USS Foster(미 함정 포스터호)에 배정(배치)된 일병 Russell MacDonald.

132 Cause of death can be attributed to non-specific asphyxiation. *NCIS s2_ep02 00:09*

사인은 특정할 수 없는 질식사로 돌려질 수 있어(여겨지네)

보다/파악하다(see, view), 간주하다(think of, regard), 지각(인식)하다(perceive) 동사

주어 +	think of	
	regard	
	see	+ A(목적어) + as + B(something)
	interpret(해석하다)	
	perceive	
	view	

주어 + 타동사   + A   + as + B 구조

133 **Some people regard the lottery as a fortune at one stroke.**
어떤 사람들은 복권을 일확천금으로 여긴다.

134 **In fact, Maltan temples are widely regarded as the oldest free-standing structure.** *NCIS s10_ep03 00:05*
사실, Maltan 사원은 가장 오래된 격식을 갖추지 않은 자유로운 구조물로 대개 간주되네.

🎞 공지하다, 정보전달하다, 일깨우다 뜻의 동사

Remind(상기시키다)

Assure(확신시키다)

주어 +　Inform(알리다)　　　　　+ A(목적어) + of +　B(something)

Convince(확신시키다,납득시키다)

Notify(통보하다)

주어 +　타동사　　　　　　+ A　　+ of + B구조

135 It reminds me of a case once in New orleans.

NCIS s1_ep01 00:15

그것은 나로 하여금(나에게) New orleans의 사건을 떠올리게 하네요.

※ 공지하다, 정보전달하다, 일깨우다 뜻의 동사의 다른 구조

Remind

Assure

주어+　**I**nform A(사람 또는 사람에 준하는 개체) + that절

Convince

Notify

※두문자 암기방법→ **RAICN**

　　　　　　　라 이 큰

136 Enough to convince me that they have people in every branch of our government. *NCIS s1_ep15 00:36*

그들이 정부의 모든 지부에 사람을 심어놓았다(사람들이 있다)라는 거 나를 납득시키기에 충분해요.

※ **P**romise, **a**sk, **s**how, **t**each/**t**ell, **i**nform, **c**onvince 동사 쓰임

약속하다, 묻다, 보여주다, 가르치다/말하다, 알려주다, 확신시키다(납득시키다)

Promise, **a**sk, **s**how, **t**each/**t**ell, **i**nform, **c**onvince	+ (사람) +	① to-v ② if/whether + 주어 + 서술어 ③ What + 주어 + 서술어 ④ That + 주어 + 서술어

※두문자 암기방법→ **p a s t i c**
패스트 아이씨

137 **If you're asking me whether Gibbs could get involved with a murder suspect, the answer is no.** *NCIS s1_ep12 00:28*
당신이 나에게 Gibbs가 살인 혐의(용의)자와 연루될 수 있는지를 묻는다면 그 대답은 no예요.

138 **You promised me not to tell anybody the fact.**
당신은 나에게 약속했어요 그 사실을 어느 누구에게도 말하지 않는다고요.

팝송한소절
139 **<Metallica - The Unforgiven>**
중략….
this whipping boy done wrong
deprived of all his thoughts
이 희생양 아이는 잘못을 저질렀어
그의 모든 생각을 박탈당한채(빼앗긴채)

※ 타동사 deprive 쓰임, 문장 뒷부분 분사구인데 being생략
→ this whipping boy done wrong (being) deprived of all his thoughts

Chapter 6.

비교:
피는 물보다 진하다
(Blood is thicker than water)

Unit 1. 비교의 세가지 종류

140 **Blood is as red as wine.** (원급비교)

피는 와인만큼 붉다

141 **Blood is thicker than water.** (우열비교)

피는 물보다 진하다

142 **Blood is the thickest in the world.** (최상급)

피는 이 세상에서 가장 진하다(최고)

이 책에서는 원급비교방식과 동등비교문장과 우열비교문장에서
표현방식의 원리에 초점을 맞춰 살펴보겠습니다.

Unit 2. 원급비교

🎬 원급비교(동급비교)

이 표현방식의 구조는 기본적으로 형용사/부사의 앞 뒤로 as가 하나씩 있는 구조인데 형용사/부사 앞 뒤로 as가 하나씩 나타나게 되고 ②as(아래 문장/그림 참조) 다음 비교/비유대상(빗대는 대상 또는 수/양 의 정도를 나타내 주는 말)이 오는 구조입니다.

140 Blood(A) is as red as wine(B).

피는 와인만큼 붉다(A=B)

Blood is   red

       ↑   ↑

   ①as   ②as water

형용사의 서술용법(주격보어역할)에 원급비교(표현방식)가 적용된 경우로써 Blood is red. 문장에 as ~ as water의 결합이라고 볼 수 있습니다.

첫 번째 ① as는 부사로서 "그 정도/ 그렇게"의 의미를 가지며 두 번째 ② as는 전치사(② as 뒤에 절이 나오는 경우는 접속사)로서 "~만큼, 처럼"을 의미합니다. ② as 다음에 견줄 수 있는 대상이나 상황 또는 필적할 수 있는(필적할 만한) 대상 또는 상황이 나오는데 ② as 다음에 견줄 수 있거나 필적할 만한 대상(상황)으로 비슷한 성질의 대상이나 상황이 나오기도 합니다.

① as와 ② as 이 두 가지 as의 의미를 문장 해석 시 적용(반영)하시면 됩니다.

as 두 개가 보이는 원급비교 표현방식이 사용된 문장을 보시게 되면 "②as 다음에는 세부내용 (구체적 정보)이 표시되겠구나"라고 머릿속으로 생각하시면서 뒷부분 ② as가 이끄는 내용의 의미를 파악하고 한국말 해석해보시기 바랍니다. 얼마나 붉은지 붉은 정도를 설명하는 데 있어 수치/숫자+단위(i.e. 색도(color degree))를 이용할 수 있는데 이 문장은 그렇지 않고 다른 대상에 빗대어 얼마나 붉은지를 나타내고 있습니다.

② as가 이끄는 내용(② as 다음 나오는 내용)은 형용사/부사 관련하여 어떤 정도, 어떤 성질을 명시하는구나라고 이해하시면 되는데 이 문장의 경우 얼마나 붉은지의 정도를 나타내는 것입니다.

비유의 방식으로 특정 개체의 특징이나 성질을 나타내는 방식은 "처럼"이란 단어가 들어가는 한국어의 직유법을 생각하시면 되겠습니다.

143 Oh, that is as ridiculous as the president's escape capsule.

NCIS s01_ep01 00:13

오, 그건 대통령의 탈출캡슐처럼 그 정도로 어리석은 거야(불합리한거야).

수, 양을 나타내는 구체적 정보의 한국어 해석에는 기본적으로 "만큼"이라는 단어가 들어가게 됩니다.

144 It holds ①as much water ②as comes in.

유입되는 만큼 그 정도로 많은 물을 보유합니다.

※ It → 저수지, 저수지에 얼마나 많은 물을 보유하는지
　　→ 자연상에서 유입된 물(의 양)만큼

이 문장에서 ② as 다음에는 양의 정도를 규정하는 내용이 또한 온다라고 보시면 되는데 많고 적은 정도를 기준으로
보았을 때(① as ~ ② as 사이에 much라는 단어가 있으므로) 이 문장 어느 정도 많은지에 대한 정보가 뒤에 나와 상세화 (구체화)가 뒤에서 이루어지는 것입니다.

위 예문 144는 현재 어떤 사정/상황을 설명하는데 다른 사정/상황과 비교하여 설명하는 방식입니다.

145 Essential part of carrying nutrition in our body is blood as red as wine.

우리 몸에서 영양분을 나르는 필수적인(핵심적인) 부분(내용)은 와인처럼 붉은 피입니다.

※형용사의 한정용법(명사 후치수식)에 원급비교 적용

146 Saint Bernard is a dog as big as a bear.

Saint Bernard는 곰만큼 그 정도로 큰 개입니다.

한정용법의 형용사에 원급비교적용된 경우이며 두번째 as다음 구체적 정보제시해주고 있는데 곰에 빗대어서 비유방식으로 Saint Bernard가 얼마나 큰지 나타내고 있습니다.

Unit 3. 동등비교문장과
우열비교문장에서 표현 원리

두 번째as(동등비교문장의 경우) 또는 than(우열비교문장의 경우) 기준으로 앞 부분 문장 구조와 동일한 문장구조가 나타납니다(좌우 대칭구조처럼). e.g. I talk to them as often as you do(talk to them) → 3형식문장 as often as 3형식문장

※영어지문에서 사용되는 모든 as~as 동등비교문장과 "~형용사/부사의 비교급 + than~'의 우열비교문장이 100%그런 것(앞 부분 문장 구조와 동일한 문장구조가 사용)은 아닙니다. e.g. It was as good as expected(또는 It was good as I expected). → 관용적으로 ~ as I expected 또는 as expected라고 표현, It was better than expected → 관용적으로 than expected라고 표현

그런데 실질적, 직접적 비교성분만 남기고 문장의 나머지 부분은 생략하게 됩니다(생략하더라도 의미 전달에는 문제가 없기 때문에 생략합니다).

Blood is ①as red ②as wine (is red).

Blood is as red as wine is red.

↑

바로 위 문장은 ② as wine 다음 생략된거까지 다 쓴 문장인데 "is red"는 생략하여 나타냅니다. 두 번째 as 기준으로 앞뒤 문장구조가 동일한데 실질적 비교성분만 남기고 나머지는 생략합니다. 이 문장에서 실질적 비교성분은 두 번째 as기준으로 앞부분 주어성분인 blood와 뒷 부분 주어성분인 wine입니다. "is red" 두 단어가 생략되어도 이 문장 보는 사람은 이해가 됩니다.

🎞 실질적 비교성분이 주어, 목적어, 보어, 부사구가 될 수 있는데 다음의 네 가지 사항을 보시기 바랍니다.

• 실질적 비교성분이 주어인 경우

147 **I talk to them as often as you do**(talk to them)**.**

→ 실질적 비교성분이 주어성분
나는 네가 그들에게 얘기하는 만큼 그 정도로 자주 그들에게 얘기한다.

※ 'as~as'나 '비교급 than' 뒤에 절의 형태를 쓰게 될 때, 이 동사가 앞에 나온 문장 전체 동사와 중복될 경우(같은 동사인 경우)에는 해당 일반동사 대신 do를 씀

• 실질적 비교성분이 목적어인 경우

148 **I talk to them as often as you.**

=**I talk to them as often as** (I talk to) **you.**

나는 내가 너한테 얘기하는 만큼 그 정도로 자주 그들에게 얘기한다.

149 **People will be provided with much stronger virus-resistant antibody than** (people in the past were provided with) **existing virus-resistant antibody.**

"people in the past were provided with" 생략
사람들은 과거의 사람들보다 기존의 항 바이러스 항체보다 더 강력한 항 바이러스 항체로 제공받을 것이다.

※ 표현 be provided with~의 목적어 또는 이 표현의 전치사 with의 목적어가 실질적 비교성분

191

• 실질적 비교성분이 보어인 경우

150 Nature always proves to be a far more elusive and powerful
killer than man. NCIS s01_ep01 00:31
= Nature always proves to be a far more elusive and powerful
killer than man (proves to be a elusive and powerful killer)
자연은 항상 인간보다 훨씬 더 회피적이고 강력한 킬러로 입증되지.

※ man 다음 (proves to be a elusive and powerful killer)생략

• 실질적 비교성분이 부사구인 경우 (부사구제외하고 나머지 단어는
생략)

151 I research more for this project than (I do) for other projects
these days.
요즈음 나는 다른 프로젝트보다 이 프로젝트에 더 많이 리서치를 한다.

152 With this new job, you can make as much money in the
present as in the past.
= With this new job, you can make as much money as (you
made money) in the past.
이 새 일자리로 너는 과거만큼 그 정도로 많은 돈을 현재에 벌 수 있다.

🎬 목적어역할 또는 보어역할하는 명사를 수식 하는 형용사 many/much에 as ~ as - 표현방식이 결합된 형태

152 With this new job, you can make as much money in the present as in the past.

153 You can take as much water as you want (water).

= You can take as much water as you want.

당신은 그 정도로 많은 물을 가져갈 수 있어요 당신이 원하는 만큼(원하는 양만큼)

팝송 한 소절

154 <Aerosmith - Hole in My soul>

…중략…

I'm as dry as a seven year drought

저는 7년 동안의 가뭄처럼 그 정도로 바싹 말랐어요

※ ~as 형용사/부사 as 원급(동등)비교

155 <Smashing Pumpkins - Today>

Today is the greatest day I've ever known

오늘은 내가 아는(알아왔던) 최고의 날이야

※ 최상급 문장, 목적격관계대명사 that생략(목적격관계대명사는 생략가능) ~day (that) I've~

156 <Chicago - You're The Inspiration>

…중략…

No one needs you more than I need you

내가 너를 필요로 하는 것보다 더 너를 필요로 하는 사람은 아무도 없어

(그 어떤 누구도 내가 너를 필요로 하는 거 이상으로 너를 필요로 하지 않아)

(내가 다른 어떤 누구보다 가장 너를 필요로 해)

※ than 기준으로 앞 부분 문장 구조와 동일한 문장구조

※ 최상급의미를 나타낸 비교급표현방식(최상급나타내는 표현방식중 하나)

→ 부정어있는 주어(부정주어) + 비교급 + than ~

157 <white snake - the deeper the love >

…중략…

the deeper the love

The stronger the emotion,

An' the stronger the love

The deeper the devotion

사랑이 깊어질수록 감정은 더 강해지고,
사랑이 강할수록 헌신은 더 깊어지고

※ the 비교급1 + 주어1 + 서술어1 , the 비교급2 + 주어2 + 서술어2 표현방식

※ 가능하시다면 미드에 빠지면 토플이 풀린다 1권에 수록된 해당 내용(Day123)을
참조해주시기 바람

158 <Alias - more than words can say>

…중략…

I need you now

More than words can say

나는 지금 당신이 필요해요
말로 다 할 수 있는 것보다 더 많은 것

※ than 기준으로 앞 부분 문장 구조와 동일한 문장구조가 항상 나타나는 것은
아님

관계대명사:
대명사와 접속사의
역할로 명사를 상세화해주는
절을 이끈다

관계대명사는 기존의 어떤 문법서의 내용에 따르면 문장과 문장의 결합 시 사용하는 것으로 볼 수 있는데 (e.g. We know a lot of people + They live in Seoul → We know a lot of people who live in Seoul) 이 책에서는 좀 다른 측면에서 선행사와 관계대명사 두 개의 관계에 초점을 맞춰 설명드리겠습니다.

관계대명사는 관계(말을 이어준다/접속시킨다)와 대명사라는 두 단어가 결합된 용어로서 대명사의 종류이며 접속사의 종류이기도 합니다(대명사, 접속사 동시기능). 이 관계대명사 앞에 위치하는 선행하는 명사(이하 선행사로 칭함)를 이 관계대명사가 가리키면서 이 선행사에 디테일한(상세한) 내용을 붙이는(접속) 역할을 합니다(선행사 뒤에서 관계대명사절이 수식하는 역할이라고도 합니다). 관계대명사절은 관계대명사가 이끄는 절로서 선행사를 가리키는 관계대명사를 매개로 하여 선행사에 붙여서 이 선행사에 대해 구체적인 정보를 제공하는 것입니다. 이렇게 관계대명사를 이용하여 선행사를 구체화시킨다면 상당히 다양한 내용(표현하기 나름이므로 어떤 내용도 됨)을 말하거나 쓸 수 있습니다.

e.g. 키가 큰 소년, 스케이트보드 잘타는 소년, 소년의 스케이트보드가 좋아보이는 소년, 그 동네 아이들이 관심이 있는 소년 etc

이해를 돕기 위해 그림을 이용한다면

①선행사　②관계대명사 + 구체적인 내용

② 관계대명사는 who/whom/whose/which,etc 중 하나로 나타
남, 다음의 표참조

　영어로 표현할 때 관계대명사를 이용하는 것은 비유하자면 마치
무협액션영화(또는 만화영화)에서 주인공이 분신술을 사용하여 주인
공과 똑같이 닮은 분신이 주인공 옆에 나타나 어떤 활약을 하는 것
처럼 문장에서는 어떤 명사(① 선행사)가 있고 이 명사(① 선행사) 다
음 이 명사(① 선행사)와 동일시되는(같은 실체인) 관계대명사가 분신
처럼 나타나서 구체적인 내용을 ① 선행사에 붙이는 역할을 하는
겁니다. ① 선행사 + ② 관계대명사(선행사와 같은 실체)의 두 단어 배
열에서 보면 선행사와 똑같은 명사가 선행사 다음 또 한 번 연이어
나타난다고도 할 수 있고 명사를 반복하여 연이어 두 번 쓴 거(① 선
행사와 ② 관계대명사는 실체가 같기 때문)라고도 볼 수 있습니다(i.e. 선
행사 + 관계대명사 → 명사+명사). 이 설명 내용은 문장의 직독직해(또
는 직관적 의미파악) 및 문장 말하기/쓰기(자동반사적 구사)에 효과가
있으리라 생각합니다.

🎬 관계대명사의 종류

	관계대명사절 안에서 역할	선행사 사람	선행사 사물
주격	주어역할	who	which/that
목적격	타동사다음 목적어역할	whom	which/that
	전치사다음 목적어역할	whom	which
소유격	소유격(한정사)역할	whose	of which

※ 목적격관계대명사가 타동사의 목적어역할인 경우 whom, which,that 모두 가
능, 전치사의 목적어역할인 경우 that은 안됨

● 주격관계대명사가 사용된 경우의 문장 독해시

159 **You know what? There is the boy.**

He is good at skateboarding. "There is the boy"

다음 문장을 보시면 the boy를 가리키는 인칭대명사 He(주어)가
사용된 문장이 있습니다. 이 두 문장에서 인칭대명사 He대신 관계
대명사 주격 who를 사용한다면 선행사+관계대명사절의 형태의 말
을 나타낼 수 있습니다.

독자분들의 이해를 돕기 위해 말씀드리면 한국 사람의 일상 대화
중에 상대방한테 말할 때 마치 관계대명사가 들어간 영어문장처럼
한국어를 하는 경우가 있습니다. 가령 예를 들면, "있잖아! 그 소년.
스케이트보드 잘 타는"(한국어이지만 마치 영어에서 관계대명사절이 선행
사를 후치수식(뒤에서 수식)하는 거와 비슷한 식)

"그 소년 스케이트보드 잘 타는" 이 문장을 좀 더 영어식으로 한
다면(영어에 가까운 표현방식으로 한다면) 다음과 같습니다.

그 소년 그 소년 스케이트보드 잘 타는(영어문장 어순으로 한국어 단어배치)

    ↑   ↑

①The boy ②The boy(=he) + 구체적인 내용(is good at skateboarding)

①선행사　②관계대명사 + 구체적인 내용(is good at skateboarding)

              ↓

   who(주격관계대명사)사용

명사(②The boy)와 대명사(he)는 실체가 같은 단어이며 he와 who 도 또한 실체가 같으면서 동일한 의미를 가진 단어입니다. he와 who의 차이점은 who는 접속기능이 있다는 점입니다. he대신 who 가 사용된다면 선행사에 구체적인 내용을 붙일 수 있습니다.

The boy ②the boy is good at skateboarding ~

↓

The boy who is good at skateboarding ~

여기서 ②The boy(그 소년)를 관계대명사 who로 바꿔도 The body와 동일인(실체가 같음)임이 분명하며 그래서 두번두 번째 The boy를 who로 바꿔봅니다. 그러면 선행사에 접속시키는 것이 가 능합니다. 명사 2개 반복하여 The boy + the boy 쓴 거를 The boy(선행사) + who(관계대명사로써 the boy 가리키는 대명사 역할과 구체 적 내용을 접속해주는 역할)로 하는 것입니다(①the boy + ②the boy = ①the boy +②who).

①The boy [②the boy(→who) is good at skateboarding] ~

그 소년 [그 소년"이" 스케이트보드 잘탄다]

선행사   ↑★주격조사(한국어) "~이"

영어문장 한국어로 해석시 주격조사("~이"), 목적격조사("~을/를","~에"←타동사 populate(~에 살다), inhabit(~에 살다),etc)를 의식하며 해석해보거나 머리속으로 의식하며 영어로 구사해보는 연습을 하는 것이 좋습니다(한국어로 해석시에는 한국어 조사의 뜻을 살려 해석).

※괄호[ ]는 관계대명사절을 표시함

관계대명사절 [ ]안에서 보면 서술어(is good at skateboarding)의 주어가 who입니다. 이 경우 보통의 영어문장 어순(주어부터 시작하여 그 다음 서술어가 나오는 어순)과 동일합니다.

선행사 + 관계대명사절(The boy who is good at skateboarding)이 포함된 부분을 포함하여 완전한 문장으로 나타낸다면 다음 두 문장과 같습니다.

160 **There is the boy who is good at skateboarding in my neighborhood.**
우리 동네에는 스케이트보드를 잘 타는 소년이 있다.

161 **The boy who is good at skateboarding is JJangu.**
"스케이트보드 잘타는 그 소년은 짱구이다"(한국어 해석)

"그 소년 (그 소년) / 잘하는 / 스케이트보드타는거 / 짱구이다"
(영어 어순으로 한국어 단어 배치한 해석
※영어문장 독해시 영어 어순의 한국어 단어배치를 해보며 의미파악하는 것도 직독직해하는 데 도움이 됩니다)

※ The boy is JJangu. vs. The boy who is good at skateboarding is JJangu.
단순구조의 문장 vs. 구체적내용이 들어간 문장

162 **He's a man who aims to please.** *NCIS s01_ep02 00:22:*

그는 (타인)기쁘게 하는 걸 목표로 하는 남자야

● 목적격관계대명사가 사용된 경우의 문장 독해시

① The boy [②the boy(→whom) a few children in the neighborhood like]
그 소년 [그 소년"을" 동네 몇 몇 아이들이 좋아한다]
선행사　　　　　↑ ★목적격조사(한국어) "~을/를"

　선행사 다음 목적격 관계대명사 whom이 사용된 문장을 독해하실 때는 다음과 같이 이해하시면 되겠습니다.

　주격관계대명사가 사용된 이전 설명 내용의 경우가 그렇듯이 선행사 관련하여 전달하고자 하는 상세화 내용에 따라 관계대명사절[ ] 부분이 구성되는데 이 문장에서 보시면 선행사 다음 목적격관계대명사가 사용되었습니다. 선행사다음 관계대명사whom이 사용된 것을 발견하셨다면 관계대명사절[ ]안에서 목적어 역할을 하는 거구나라고 파악하시면 되겠습니다(관계대명사 선택에 관해서는 이전 관계대명사표참조).

　위의 관계대명사절부분[ ]을 보통 많이 보게 되시는 주어부터 시작하는 평서문의 영어 문장 어순으로 한 경우는 아래와 같습니다.

　A few children in the neighborhood like ②the boy(이렇게 주어시작 그 다음 서술어나오는 영어 문장의 어순으로 구사한 문장에서 ②the boy는 like의 목적어이면서 선행사①The boy 와 똑같은 단어이자 선행사와 실체가 같음).

　그런데 관계대명사를 이용하여 선행사①The boy에 "A few children in the neighborhood like ②the boy"이 내용을 접속한

다면 ②the boy가 ①The boy (선행사)에 접속해줄 수 있는(접속기능 있는) 관계대명사 whom으로 바뀌면서 앞으로 이동하여 ①The boy 다음 위치해야하므로 관계대명사절에서의 주어 A few children보 다 먼저 표현된다고(나타난다고) 볼 수 있습니다. 달리 설명드리자면 관계대명사 목적격이 사용된 경우는 주어부터 시작하는 평서문과 달리 관계대명사절에서 관계대명사절의 다른 성분들보다 목적어성 분부터 미리 제일 먼저 말한다라고 이해하실 수 있습니다. 목적격관 계대명사가 사용된 경우 관계대명사절 구성하는 방식이 그렇기 때 문입니다(②the boy는 관계대명사절안에서 목적어 역할이므로 목적격관계 대명사whom을 선택).

↓

①The boy [②whom a few children in the neighborhood like]

화자(이 내용을 말하는(나타내는) 사람은)는 ①The boy(선행사) 다 음 whom을 나타낸 뒤 문장 구성하는 나머지 성분인 주어(a few children), 부사구(in the neighborhood), 타동사(like)를 나란히 나타 내는 것입니다(주어 + 타동사 + 부사구의 순서도 가능한데 부사구의 위치 는 비교적 자유로워 타동사 다음에 올 수 도 있기 때문입니다).

이 문장 관계대명사절[ ]안에서 보면 영어 문장의 기본적 시작(주 어부터 시작)과 다르게 목적어부터 시작(목적어부터 표현)되고 있습니 다. ① The boy(선행사) 다음 나오는 명사 ② the boy를 관계대명사 whom으로 바꿔줬는데 관계대명사절[ ]에서 보면 ② the boy 가 목적어역할을 하는 단어이기 때문에 목적어임을 표시하는 관계대명 사 목적격 whom을 사용하였습니다. 관계대명사절 [ ]안에서 관계 대명사(② the boy의 대용)를 목적어로 먼저 말하고 나머지 단어들을 배치하겠다라는 의도가 있는 것입니다.

● 주격관계대명사와 목적격관계대명사가 사용된 경우의 문장을 스피킹, 라이팅할 때

선행사 다음 어떤 내용의 관계대명사절과 어떤 형태(구조)의 관계대명사절을 붙일 것인가에 따라서 어떤 관계대명사가 사용될지 정해집니다(관계대명사절 내용과 구조에 맞춰서 관계대명사가 선택되고 관계대명사절이 구성됩니다).

선행사+관계대명사절 부분을 말하는(나타내는) 원리를 단계를 거쳐서 설명드린다면 다음과 같습니다.

1. 분신(주인공과 똑같은 모습) 그러니까 마치 선행사의 분신이 나타나 붙어있듯이 선행사와 실체가 같은 단어가 선행사 다음(뒤)에 있어야 한다라는 것을 머릿속으로 생각하십니다.

2. 대명사이면서 선행사에 접속기능하는 품사는 관계대명사이므로 선행사 뒤에 관계대명사를 나타내어 이 관계대명사로 하여금 선행사에 관계대명사절 접속시키는 역할을 하게 합니다.

3. 선행사 다음 관계대명사절에 말하고자 하는(나타내고자 하는) 내용이 어떤 내용인지 한국어로 생각하고 그러니까 선행사에 접속하는 관계대명사절 내용이 어떤 상세화내용인지 머리속(한국어)으로 생각하십니다. 그 다음 어떤 식으로 표현(내용 구성의 어휘선택 또는 구문선택,etc)할지를 생각하신다면 어떤 관계대명사가 사용될지 정해집니다(가령 주격관계대명사, 목적격 관계대명사,etc).

   e.g. "①그 소년 ②그 소년을 동네 몇몇 아이들이 관심있어 한다"의 한국말에 해당하는 영어를 나타낸다면 우선 머리속으로

①the boy(선행사)에 붙이는 관계대명사절 내용구성을 위한 서술어부분의 영어어휘를 선택하는데 "be interested in"을 사용하기로 선택했습니다(한국어 "관심있어 한다" 에 매칭(대응)된 영어는 "be interested in~")

그렇다면 선행사 ①the boy다음 관계대명사절을 시작하는 단어로 관계대명사 whom을 입밖으로 내뱉으셔야 하는데 왜냐면 머릿속으로 관계대명사절안에서 사용된 표현인 "be interested in"을 염두해둔다면 이 표현("be interested in")의 대상(목적어)이 바로 "②그 소년을"에 해당하는 whom이기 때문입니다. 선행사와 동일한 실체이면서 접속역할을 해주는 whom이 선행사 ①the boy 다음에 나와야 하기 때문입니다.

※"을/를" → 목적격조사

whom 다음 관계대명사절에서 주어는 a few children이 되고 서술어는 be interested in이 되어 선행사+관계대명사절 부분 구성된 모습은 ★"the boy (whom) a few children is interested in" 또는 ◆"the boy in whom a few children is interested"입니다.

↑

whom생략불가능, 전치사 in이 whom 앞에 있는 경우

위 예문 ★의 (   ) 괄호 표시는 목적격관계대명사는 생략이 가능(이 예문에선 목적격관계대명사 whom이 전치사 in의 목적어)하다라는 의미인데 전치사가 원래 자리인 be interested 다음에 위치하는 경우 또는 다르게 말하면 전치사 없이 목적격관계대명사 whom 하나만 있을 경우 생략 가능하단 의미입니다.

◆ "the boy in whom a few children is interested" 대신 ★"the boy (whom) a few children is interested in"부터 평상시 말이나 글로 구사 시작하는 걸 추천합니다. ◆표시 있는 예문보다는 ★표시 있는 예문이 구사하시기에 쉬울 것이기 때문입니다.

이번에는 내용은 같은데 표현방식을 달리(같은 내용 표현방식 달리하는 것을 paraphrasing이라고 함)하여 한국어로 "①그 소년 ②그 소년은 몇 몇 아이들의 관심대상(한국어 '관심대상'에 해당하는 영어어휘는 명사 interest)"에 해당하는 말을 영어로한다면 머릿속으로 관계대명사절 내용구성을 위한 서술어부분의 영어 어휘선택을 하는데

"~ be a few children's interest"(→한국어로 "~는 몇 명 아이들의 관심대상이다"에 매칭된 영어)를 사용했습니다.

그렇다면 이번에는 "the boy (whom) a few children is interested in"과 문장구성이 다르게 되어 선행사 ①the boy다음 관계대명사절을 시작하는 단어로 관계대명사 who를 입 밖으로 내뱉으셔야 하는데

왜냐하면 선행사 다음 "②그 소년은"에 해당하는 영어가 와야 하고 그 말이 바로 주격관계대명사 who이기 때문입니다.

who 다음 관계대명사절에서 서술어는 be a few children's interest가 되어 선행사+관계대명사절 부분 구성된 모습은 "①the boy who(=②the boy) is a few children's interest"입니다.

완성된 선행사 + 관계대명사절 [ ]부분의 구성된 모습은 이렇습니다 ①the boy who(=②the boy) is a few children's interest

※"은/이" → 주격조사
※ 관계대명사절에서 주어는 who인 셈.

　　이상은 스피킹, 라이팅에서 선행사+관계대명사절 부분을 표현하는 원리에 해당하는 설명 내용이었습니다. 정리하자면 관계대명사절 내용에 어떤 내용 그리고 어떤 형태(구조)로 표현할 것인가 머리 속으로 먼저 생각한 뒤 거기에 맞춰서 적합한 관계대명사를 선택하여 관계대명사절 내용을 구성하는 이 방식으로 하신다면 선행사+관계대명사절의 이 부분을 효율적으로 구사하실 수 있겠습니다. 이 원리가 숙달된다면 자동반사적으로 좀 빠르게 구사하실 수 있으실 겁니다.

e.g.

The boy who~(who를 사용한다면 관계대명사절[ ]안에서 주어역할시키겠다는 화자의 의도),

The boy whom~(whom을 사용한다면 관계대명사절[ ]안에서 목적어역할시키겠다는 화자의 의도), etc

162 **The boy who is good at skateboarding is JJangu.**

163 **The boy whom a few children in the neighborhood like is JJangu.**

그 동네에 몇몇 아이들이 좋아하는 그 소년은 짱구다.

164 **Yes. She was the only American I ever met whom I trusted.**

NCIS S04_ep12 00:28

예, 그녀는 내가 신뢰했던 유일한 미국인이었다 지금까지 만났던 (미국인중에서).

Yes. She was the only American ①[I ever met] ②[whom I trusted].

관계대명사절 [ ] 두 개가 사용되었으며 ①[I ever met]에서는 목적격관계대명사(that이 생략, 이 예문에서 which는 사용될 수 없음, 아래 "●관계대명사that사용하는 경우" 설명참조)가 생략되었으며 ②[whom I trusted]에서는 목적격관계대명사 whom이 사용되었습니다.

위의 설명으로 독자분들이 충분히 이해되시리라 생각되므로 더 이상의 설명은 생략하겠습니다.

▲고급 스킬(심화학습)#1 후치수식의 종류(관계대명사절을 포함)

165 Over the last couple of days or weeks, were there anything out of the ordinary, you were aware of, coming from the apartment?

• Over the last couple of days or weeks, were there anything
    ①out of the ordinary 평범 일상생활보통에서 벗어난
    ②you were aware of
    ③coming from the apartment
영화 Columbus circle 거의 시작부분에서 형사(detective)와 주인공(Abigail Clayton)의 대화(대사)

지난 며칠 또는 몇 주에 걸쳐서 일상적이지 않은(않으면서), 당신이 인식(알게)했던, 아파트에 발생했었던 어떤 게 있었나요?
    (out of the ordinary=평범/일상생활/보통에서 벗어난)

명사를 후치수식할 수 있는 말의 종류를 말씀드린다면

① 전치사로 시작하면서 뒤에 명사가 오는 구(또는 전치사 + 명사로
   구성된 구)
② 관계대명사절
③ 분사구(분사와 분사뒤에 딸린 말)

166 The smartphone's app has the functions that aren't really
necessary but that make it easier to use.

스마트폰 앱에는 정말로 필요하지는 않지만 사용하기 쉬운 기능들이 있다.

The smartphone's app has the functions [that aren't really
necessary] but [that make it easier to use].

※ 선행사는 the functions이며 관계대명사절 2개를 등위접속사 but을 이용하여
  나란히 구성한 문장

● 관계대명사that사용하는 경우

선행사가 -thing으로 끝난 단어(everything, something, etc) 또는
극단, 강한, 예외적, 제한적,etc 느낌인 경우(e.g. the only/very + 명사
(선행사), 최상급/all/every + 명사(선행사))에 사용

167 There's one more thing that I need to do.

NCIS S03_ep14 00:33

내가 해야 할 필요가 있는(해야 할) 일이 한 가지 더 있어요.

● **관계대명사 what**

선행사를 포함한 관계대명사로써

what = anything that 또는 what = the thing that이며 보통 ~
하는 것/~것으로 해석하고 관계대명사what이 이끄는 절은 명사취
급을 합니다(문장안에서 주어, 목적어, 보어역할)

※ 관계대명사 what앞에는 절대 명사가 있어서는 안 됨.

168 **That's what I just said.** *NCIS s10_ep03 00:10*
   그것이 내가 방금 말했던 것이에요.

● **관계대명사절[ ]에서** 주격관계대명사가 사용된 경우라든지
목적격관계대명사가 사용된 경우 관계대명사절[ ]에서 관계대명사
제외하고 나머지 부분은 불완전한 문장(절)의 모습(주어가 빠진 모습
또는 목적어가 빠진 모습)이 나타난다는 점 꼭 기억하시기 바랍니다(실
질적으로 관계대명사절[ ]에서 관계대명사가 주어 또는 목적어 역할을 하는
것이지만 마치 공식처럼 빠르게 관계대명사절이 문법 규칙에 맞게 쓰인 건지
아닌지를 판단하기 위해 관계대명사를 제외한 나머지 부분만 가지고 판단하
시는 것입니다. 주어 성분이 빠진 모습이라든지 목적어 성분이 빠진 모습이
라면 문법에 맞게 쓰인 것입니다).

   그러니까 영어시험 문법(어법) 문제에서 문장에 주격관계대명사
가 있는데 관계대명사절에서 주어에 해당하는 명사나 인칭대명사
(he,she,etc)가 또 나온다면 틀린 문장입니다.

161 **The boy [who is good at skateboarding] is JJangu.**
   → 관계대명사절[ ]에서 "is" 앞에 주어가 안 보임.

164 Yes. She was the only American[(that) **I ever met**] [whom I trusted].

→ 관계대명사절[ ]에서 관계대명사whom제외하고 보면 주어는 "I" 이고 타동사 trusted다음 trusted의 목적어가 안보임 → 맞는 문장

예. 그녀는 지금까지 내가 만나온 유일한 미국인이자 내가 신뢰했던 미국인입니다.

※ I ever met 부분에서 had생략됨 → I had ever met

i.e. 선행사 + [관계대명사(주격,목적격)+ 주어성분, 목적어성분 안보이는 불완전한 절)]

● **소유격관계대명사가 사용된 경우**

169 The boy whose skateboard looks nice lives in my neighborhood.

스케이트보드가 좋아 보이는 그 소년은 우리 동네에 산다.

• ①The boy [②the boy's(→whose) skateboard looks good] ~
그 소년 [그 소년의 스케이트보드 보인다 좋게] 산다
선행사   ↑ ★소유격조사(한국어) "~의"

선행사 다음 나타나는 관계대명사가 관계대명사절[ ]안에서 어떤 명사의 소유격으로 사용될 때 소유격관계대명사를 사용합니다.

His skateboard → whose skateboard

(whose와 소유격 인칭대명사 his는 같은 단어라고 볼 수 있는데 차이점은

whose에는 접속의 기능이 있다는 점 그래서 선행사 다음 whose로 시작하는 관계대명사절을 붙일 수 있다는 점)

• ①The boy [②the boy's(→whose) skateboard looks nice]
이 경우 ①선행사가 소유주(본체) + ②whose + 소유물(부착/부속물) 의 단어배치라고 이해하시면 되는데 ①명사(선행사) + whose + ②명사의 단어배치라고도 볼 수 있습니다. whose가 사용되는 경우는 whose앞 뒤에 항상 명사가 있어야합니다. 참고로 말씀드리자면 관계대명사 고르는 객관식영어문제에서 관계대명사 들어갈 자리 빈칸 앞 뒤로 명사가 있다면 정답은 마치 공식처럼 whose입니다.

이 문장에서는 whose는 선행사 ①The boy를 가리키는 대명사역할을 하면서 접속역할도 하고있고 whose다음 나오는 명사 (skateboard)의 소유자가 누구인지를 나타내는 소유격역할도 하고 있습니다.

또 다른 예문을 보면

170 **The shirt whose button is made of plastic belongs to JJangu.**
플라스틱으로 만들어진 버튼의 그 셔츠는 짱구소유이다(단추가 플라스틱으로 만들어진 그 셔츠는 짱구의 것이다).

①The shirt [②The shirt(→whose) button is made of plastic]
①그 셔츠 ②그 셔츠의 버튼
　　★ "소유"의미를 나타내는 조사 "~의"가 한국어 해석 시 들어감

이 문장의 경우 whose대신 of which를 사용할 수도 있습니다. 관계대명사 앞에 다른 단어인 전치사가 있어도 접속역할은 유효합니다.

①The shirt whose(=of which) button is made of plastic belongs to the boy.

whose와 of which(=of shirt)는 같은 의미인데 관계사절안[ ]에서 세 단어로 구성된 표현 "button of the shirt"에서 of the shirt(=of which)부분을 선행사 ①The shirt에 접속해야되기 때문에 button건너뛰어 앞으로 이동했다라고 보시면 되겠습니다. 또는 관계대명사절에서 of the shirt(=of which)부분을 관계대명사절의 다른 성분들보다 미리 제일 먼저 말한다고 이해하시면 되겠습니다. Of는 소유의 의미("~의")를 나타내는 단어이기 때문에 which와 한 세트로 된 모습인 of which로 이동함

i.e. of the shirt("그 셔츠의") = of which이고 of which가 앞으로 이동

of the shirt("그 셔츠의") = of which= whose입니다.

소유격 관계대명사 of which는 "~의" 뜻을 같는 전치사 of 와 선행사를 가리키는 관계대명사 which의 결합인데 그러니까

which는 선행사를 가리키는 선행사와 실체가 같은 단어인데 이 문장에서는 button의 본체인 shirt를 가리키는 것이며 "~의" 뜻을 갖는 전치사 of가 which 앞에 결합되어 of which의 모습으로 선행사①The shirt 다음 나타나며 button의 본체가 무엇인지 나타내고 있습니다.

171 Beer-pong is a drinking game, the object of which is to take the Ping-Pong ball, *NCIS s04_ep20 00:04*

= eer-pong is a drinking game, whose object is to take the Ping-Pong ball,

비어퐁은 술 마시기 게임인데 게임의 목적은 탁구공을 잡는 거야.

Whose는 선행사가 사람인 경우와 사물인 경우 둘 다 사용가능하므로 스피킹과 라이팅하실 때 of which 대신 whose를 사용하는 것을 추천합니다. 스피킹과 라이팅 시 of which보다 whose를 사용하는 것이 더 쉬울 것이기 때문입니다.

문장 내 어떤 명사(주어 역할의 명사, 목적어 역할의 명사 , 보어 역할의 명사, 부사구 안에 있는 명사)라도 관계대명사를 이용하여 이 명사(선행사)에 이 명사 자체의 속성, 특징 등의 구체적 정보를 붙일 수 있습니다.

172 There are many boys [who are strong].

↑ 주어

힘이 센 소년이 많다.

173 The teacher encourages the boy [who is strong].

↑ 목적어

선생님이 힘이 센 소년을 격려한다.

174 The boy is a national sports team athlete [who is good at ska teboarding].

↑
문장 전체에서 주격보어

그 소년은 스케이트보드를 잘 타는 국가대표팀 선수이다.

175 I consider the boy a talented athlete [who is good at skateb oarding].

↑
문장 전체에서 목적보어

나는 그 소년이 스케이트보드를 잘 타는 재능있는 선수라고 생각한다.

176 The boy is the youngest in the National sports team [which is going to take part in the Olympic games].

↑
부사구 내 명사

그 소년은 올림픽에 참가하게 될 국가대표팀에서 가장 나이 어린 선수이다.

● **선행사 바로 다음 관계대명사 한 단어가 오는 경우**를 살펴보았고 소유격관계대명사 of which처럼 전치사가 관계대명사 앞에 오는 경우도 살펴보았습니다. 소유격 관계대명사 of which처럼 관계대명사 앞에 전치사가 오는 경우가 있습니다.

① The boy [②in the boy(→in whom) a few children in the neighborhood are interested].
　그 소년 [그 소년"에" 동네 몇몇 아이들이 관심 있어 한다].
　↑
명사(선행사) ★조사 ~에 (의역시에는 한국어가 자연스럽도록 조사 "을" 사용해도 됨)
그 소년을 동네 몇몇 이들이 관심있어 한다.

관계대명사절[ ]에서 보면 전치사+명사 ("a few children in the neighborhood are interested in the boy"에서 "are interested in~"표현의 일부인 전치사 in과 이 전치사 in의 목적어인 the boy가 떨어져나와 한 세트로 된 모습으로 선행사 ①The boy 다음이면서 주어인 "a few children" 앞으로 이동한 것처럼) 로 나타납니다. in과 the boy(→whom)가 결합된 이 두 단어만 따로 별도로 보자면 관계대명사절 안에서 부사구 성분인데 왜냐면 전치사+명사 두 품사로 결합된 말이 부사구이기 때문입니다.

● **관계대명사가 쓰이는 문장에서** 관계대명사절의 시작하는 부분은 보통 다음의 3가지 경우로 나옵니다.

1관계사 한 단어
2관계사 포함 두 단어 구성 세트표현
3관계사 포함 세 단어 구성 세트표현(e.g. 전체에서 얼마만큼 차지하는지 나타내는 표현인 most of whom(them이 whom으로 바꼈음)

관계대명사 앞에 다른 단어가 있어도 접속 역할은 유효합니다. 아래 예문과 설명을 참조하시기 바랍니다. 예문(178, 179문장)과 설명을 참조하시기 바랍니다.

1

①선행사　②관계대명사 →who,whom.which, etc

177 **That conversation got me thinking about the theory of relativity that changes the understanding of Physics.**

그 대화는 나로 하여금 물리학의 이해를 변화시키는 상대성 이론에 대해 생각하게 해주었다.

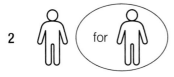

①선행사 ②전치사+관계대명사 → for whom, for which, in which, etc

178 **I made a list of 3 questions to which I wanted answers.**

나는 답을 원했던 3가지 질문의 리스트를 만들었다.

I made /   a list of 3 questions   /   to which   /   I wanted answers.

나는 만들었다 / 리스트를 3가지질문의/그 3가지 질문에/ 답을 원했다.

또는

I made   /   a list of 3 questions / which   /   I wanted answers / to.

나는 만들었다 / 리스트를   3가지질문의 / 그 3가지 질문 / 답을 원했다 / ~에.

※ I made a list of [3 questions which I wanted answers to].

※ 선행사+관계대명사절 부분인 [3 questions (which) I wanted answers to]만
   따로 보면
I wanted answers to 3 questions. → to 3 questions I wanted answers
                        나는 3가지 질문에 대한 답을 원했다.
                   → to which I wanted answers
                      그 3가지 질문에 나는 답을 원했다.

※ 다음음 전치사 to가 사용되는 입에 붙이서야 할 한국말매칭 영어 표현(한국어에 매칭되는 영어표현을 많이 암기권고)

그 질문에 대한 답 → answer to the question

그 문제에 대한 해결책 → solution to the problem

3

① 선행사

② 수량사+of+관계대명사

→most of which, most of whom, all of which, rest of whom, none of which, etc

179 JJangu has 10 skateboards most of which are expensive.

짱구 대부분 가격이 비싼 10개의 스케이트보드를 가지고 있다(짱구는 대부분 비싼 스케이트보드 10대를 보유하고 있습니다).

앞으로 영어지문에서 관계대명사쓰인 문장보시게되면 관계대명사 한 단어, 전치사+관계대명사조합인지 수량사+of+관계대명사조합인 지 확인해보며 독해하는 습관을 들이시면 좋겠습니다.

※수량사(quantifiers)→ 수와 양나타내는 품사 most, some, any, none, 75%, a half, etc

※수량사 들어간 어구의 예 → most of them, 75% of people, etc

관계대명사절의 시작하는 부분관련하여 내용정리하면 이렇습니다(다음 세가지 내용).

• 어떤 말을 하느냐 또는 어떤 내용의 말을 표현하느냐에 따라 관계대명사절 시작부분에서 관계대명사 하나만 나올 수 있고 전치사+관계대명사가 나올 수 있고 수량사 + of +관계대명사가

나올 수 있습니다. 그러니까 선행사다음 관계대명사절 시작부분에 나타날 수 있는 표현방식은 관계대명사 한 개가 될 수 있고 관계대명사 앞에 전치사가 동반되는 전치사+관계대명사로 구성되는 표현이 될 수 있으며 관계대명사앞에 수량사 + of의 표현이 동반되는 수량사 + of +관계대명사 구성의 표현이 될 수 있습니다.

• 관계대명사절을 구성하는 내용 중에서 구동사와 그 목적어로 구성된 말이 있다면 그 중 "(구동사의)전치사+목적어"를 관계대명사절에서 관계대명사절의 다른 성분(단어)들보다 미리 제일 먼저 말한다(e.g. "talk to"의 전치사 "to"와 목적어 whom또는 which)/ 관계대명사절을 구성하는 내용 중에서 특정표현(숙어)이 있다면 특정표현(숙어)을 구성하는 단어들중 (특정표현/숙어의)전치사와 전치사다음에 오는 단어(목적어)"를 관계대명사절에서 관계대명사절의 다른 성분(단어)들보다 미리 제일 먼저 말한다(e.g. "be interested in"의 전치사 "in"과 목적어 whom또는which)라고 이해하실 수 있으며

• 좀 다르게 설명드리면 관계대명사절을 구성하는 내용 중에서 구동사와 그 목적어가 있다면 "구동사+목적어"의 일부 단어인 (구동사의)전치사+목적어"가 함께 떨어져나가 관계대명사절 맨 앞으로 이동하여 선행사 다음 위치한다(e.g. "talk to"의 전치사 "to"와 목적어 whom또는 which)/관계대명사절을 구성하는 내용 중에서 특정 표현(숙어)이 있다면 그 특정표현(숙어)을 구성하는 단어들 중 일부 단어인 (특정표현/숙어의)전치사와 그 전치사 다음에 오는 단어(목적어)가 함께 떨어져나가 관계대명사절 맨 앞으로 이동하면서 선행사 다음에 위치한다라고 이해하시면 되겠습니다.

180 Not the outcome for which either of us had hoped.

→ 구동사 hope for

NCIS s04_ep18 00:30

우리 어느 누구라도 바랐던 결과가 아니야.

※ "hope for ~ " hope와 for 두 단어로 구성된 구동사

181 its copper jacket peeled back to form six sharp claws, one of which nicked his aorta. *NCIS S01_ep14 00:14*

(권총 탄알)구리 외피가 벗겨지면서 6개의 날카로운 발톱 모양으로 되어 그중에 하나가 대동맥을 찢었어.

관계부사

전치사+which(관계대명사)는 선행사에 어떤 단어가 오느냐에 따라 관계부사 where, when, why, how로 바꿀 수 있습니다. 다르게 설명하자면 관계부사 where, when, why, how가 사용되는 경우 전치사+which(관계대명사)의 두 단어로 나타낼 수 있습니다. 관계부사는 관계대명사와 마찬가지로 선행사에 접속(연결)하는 역할인데 관계대명사와 다른 점은 관계부사라는 용어에서 알 수 있듯이 관계사절에서 부사 역할을 한다는 점입니다.

관계대명사절[   ] 안에서 부사 역할하는 부사구인 전치사+관계대명사로 시작하는 절로 나타나는 경우 그 모습이 선행사 + [전치사+관계대명사+주어+서술어]로 됩니다. 이 전치사+관계대명사가 부사역할인데 특정 부사(e.g. where,when,how,why) 한 단어로 바꿀 수있는 경우 부사 한 단어로 바꾼 것이 관계부사입니다.

e.g. 장소/공간의 선행사인 경우

관계대명사를 이용한다면 선행사 다음 두 단어(전치사in/at/on +
which)가 나오는 것이고

관계부사를 이용한다면 선행사 다음 한 단어 where가 나오는 것
입니다.

182 JJangu likes Korea [in which he became a national sports
team athlete].

= JJangu likes Korea where(=in which = in Korea) he became
a national sports team athlete.

이 문장에서 where는 선행사 Korea에 구체적내용을 접속하는 역할을 하고
있으며 관계부사절[ ]에서는 부사역할을 하고 있습니다.

짱구는 한국을 좋아한다 여기서 그는 국가대표선수가 되었다.
짱구는 국가대표선수가 된 한국을 좋아한다.

아래와 같이 두 문장으로 나타낼 수 있는 것을 위와 같이 관계부
사를 이용하여 또는 전치사+관계대명사를 이용하여 한 문장으로
나타낼 수 있습니다.

183. JJangu likes Korea. He became a national sports team
athlete in Korea.

짱구는 한국을 좋아한다 여기서(한국에서) 그는 국가대표선수가 되었다.

관계대명사와 관계부사를 통틀어 관계사라고 하므로 관계대명사
절와 관계부사절을 통틀어 관계사절이라고 합니다.

부사구(전치사+명사로 구성)안에서의 명사가 관계대명사로 바뀌고 전치사+관계대명사로 구성되는 형태의 표현이 선행사 다음 나타나게 되는데 선행사의 관점에서 보면 그 선행사와 같은 실체의 명사(관계대명사)가 관계사절에서 부사구("전치사+명사"(="전치사+관계대명사"))를 구성하는 한 단어인 경우입니다.

● 관계부사의 종류

선행사	관계부사	전치사+which	부사구(시간,장소,이유,방법)
time, day, etc(시간,기간 의미)	when	at/on/in which	on monday, in a year
house, place, etc(장소,공간 의미)	where	in/at/on which	in the place, at a park
(the) the reason (이유)	why	for which	for the reason
(the) way, manner (방법)	how	in which	in the way, in the manner

※4열의 부사구는 참고바람(3열 전치사+which에서 which앞에 어떤 전치사가 사용되는지 이해를 돕고자 추가하였음)

※ 관계부사 how의 경우 선행사 the way(또는 the manner)와 함께 쓰지 않고 the way(또는 manner)와 how 둘 중 하나는 생략해야함(선행사 the way(또는 the manner)만 쓰던지 관계부사 how만 쓰던지 해야함, 대신 how와 바꿔쓸 수 있는 말인 in wihch를 사용한 the way in which는 가능함

221

　　관계부사 한 단어가 두 단어(전치사+which)로의 변환은 알고계 셔야 되고 직독직해와 빠른 영어구사를 위해 다음의 설명을 이 해하시면 됩니다. 가령 장소/공간의 선행사(e.g. house, mountain, restaurant,etc)가 나타난 문장의 경우인데 만약 문장에서 이 장소/공 간의 뜻을 갖는 명사(선행사) 다음 where가 들어간 부분(e.g. house where, mountain where, restaurant where, etc)을 보시게되면 머리속 으로 생각하시길 "이 공간/장소가 있는데(마련이 되고) 1~5형식의 완 전한 문장으로써 주어(행위주체자)와 서술어가 나타나 주어가 서술어 한다" 그러니까 가령 "집 이 공간/장소 안에서 (3형식의 경우라면) "어 머니가 빨래를 하신다", (1형식의 경우라면) "지진의 흔들림이 발생한 다" etc라고 이해하십니다.

e.g.

184 **a city [where we can have good time]**

→ 도시 여기서 우리(행위주체)는 좋은 시간을 가진다(직독직해)

→ 우리(행위주체)가 좋은 시간을 가지는 도시(관계부사절이 선행사를 후치수식하 는 방식으로의 해석)

※ where 대신 두 단어인 in which로 대체가능

185 **a city [where a war broke out]**

→ 도시 여기서 전쟁이 발발하였다(직독직해)

→ 전쟁이 발발했던 도시(관계부사절이 선행사 수식하는 후치수식하는 방식으로의 해석)

186 **This vacation [when we had good time]**

→이번 방학 이 시간에 우리(행위주체)는 좋은 시간을 가졌다(직독직해)

→ 우리(행위주체)가 좋은 시간을 가졌던 이 번 방학(관계부사절이 선행사를 수식 하는 후치수식하는 방식으로의 해석)

at home = there, on a tree = there , in the classroom = there

at which = where, on which = where , in which = where

→ at home/on a tree/in the classroom을 there로 변환가능하듯이 at/on/in + which를 where로 변환가능함

◉ 확인사항

관계부사다음 주어+서술어 구성으로 된 문장(절)이 문장으로 성립(완전한 문장(절))하는지 확인하십시오. 이 문법사항은 중요한 사항으로 반드시 기억하셔야 합니다. i.e. 선행사 + [관계부사+ 완전한 문장(절)]

187 **This is** (the place) **where the terrorists got their weapons in the movie.** *NCIS s01_ep01 00:13*
이곳이 그 영화에서 테러리스트들이 그들의 무기를 획득했던 장소입니다.

◉ 관계대명사절[ ]시작부분 전치사 + 목적격 관계대명사의 이해(e.g. 전치사+which, 전치사+whom)

관계대명사절[ ] 처음 시작부분이 전치사+which(whom)로 된 것을 보았다면 이 전치사에 주목하면서 관계사대명사절[ ]의 뒷부분을 확인해야(살펴봐야) 합니다. 이 전치사가 관계사절[ ]의 뒷 부분과 어떤 연관성이 있는지를 확인해야합니다. 그러니까 관계사절[ ] 뒷부분에 구동사나 관용표현/숙어의 일부(e.g. "be interested in"의 일부분인 처음 두 단어 be와 interested 또는 "talk with/talk to"의 일부분

인 처음 단어 talk)로 보이는 단어들이 있다면 이 구동사나 관용표현/
숙어에서의 전치사와 이 전치사의 대상(목적어)가 함께 관계사절[ ]
맨 앞으로 이동하여 선행사 다음 관계대명사절 맨 앞부분에 전치사
+which(또는whom)의 형태로 나오는 것입니다.

또한 관계대명사절[ ]을 보았더니 구동사, 관용표현/숙어와는 연
관성이 없고 그대신 장소, 시간,etc를 나타내는 부사구인 "전전치사
+which로 나오는 경우도 있는데 이 경우도 잘 파악하셔야 합니다.

※ 부사구 구성 두 단어인 "전치사 + 명사"가 선행사에 접속하기 위해 "전치사 +
which"로 바뀐것임→ 184 예문 참조
※ 부사구 →문장에서 시간,장소등을 나타내는 주어, 서술어와 독립적인 내용

1. 숙어/관용표현의 전치사 + which

188 The boy[in whom a few children in the neighborhood are
interested] lives here.

그 동네에 몇 몇 아이들이 관심있어 하는(관심있게 생각하는) 그 소년은 여기에
산다(동네 아이들 몇 명이 관심 있는 소년이 여기에 살고 있다).

※ 관계대명사절을 주어부터 시작하는 평서문으로 한 경우 → a few children in
the neighborhood are interested in the boy.

189 The AI [to which a few children are talking] belongs to the
government.

몇몇 아이들이 얘기 중인 그 AI는 정부 소유다.

2 시간, 장소, etc 표시 부사구의 전치사 + which

190 Considering the amount of poison in Masuda's body and the
speed at which it was absorbed... *NCIS s19_ep14 00:15*

Masuda의 몸 안에서 (발견된) 독의 양과 그것이 흡수되었던 속도를 고려하면…

※ 주어(it)와 서술어(was absorbed)에 독립적인 성분이라 볼 수 있는 부사성분인데 문장에 부사가 추가되면 문장에 정보 하나가 추가되는 셈

at which = at the speed(흡수의 속도 = 흡수의 빠른 정도)

(관계대명사절만 따로 보면)it was absorbed at the speed → at the speed it was absorbed → at which it was absorbed

191 But what really interests me is the manner in which his throat was cut. *NCIS s2_ep09 00:37*

= But what really interests me is how his throat was cut.

나를 정말로 흥미롭게 하는 것은 그의 목구멍이 상처난 방식(자상을 입은 방식)이야.

● **마치 숙어 암기하듯 다음의 표현은 패턴으로 알고 있으시길 바랍니다(전치사+관계대명사로 구성된 많이 나오는 패턴, 직독직해 또는 스피킹/라이팅에 도움이 됨).**

e.g.

• 동사영향 받는수신인 or 수신인 나타내는 말 → to whom(192, 193, 197 예문참조)

192 People to whom it may concern

People / to whom / it may concern

사람들 / 이 사람들에 / 이 편지가 관련하다(관련되다)

이 편지 관련된(관련하는) 사람들 (관계부사절이 선행사 수식하는 방식(후치수식)으로의 해석)

225

193 then perhaps these are not the ones to whom you should

turn. *NCIS S09_ep08 00:31*

그러면 아마도 / 이 사람들은 그 사람들이 아니다 / 그들에게 당신이 향해야

한다(방향전환해야한다/기대야한다).

then perhaps / these are not the ones / to whom you should

turn.

그러면 아마도 이 사람들은 당신이 의지해야하는 사람들은 아니에요(관계부

사절이 선행사 수식하는 방식(후치수식)으로의 해석).

• **장소,공간나타내는 말 in/at house → there →where**

• **소스,근원,출처의 (나타내는) 말 from which**

194 **Database [from which we can search for data]**

Database(선행사) + 이 Database로부터 우리가 개체(데이터)를 찾을 수 있다

우리가 데이터를 찾을 수 있는 Database (관계부사절이 선행사 수식하는 방식으

로의 해석)

195 **One of the modern marvels of air travel, Mr. Palmer miss one**

flight,

there are numerous *others* from which to choose.

NCIS s2_ep04 00:08

= there are numerous others from which we choose.

항공 여행의 현대 경이로움 중 하나는 비행편 하나 놓쳤어도,

수많은 다른 것들이 있다 이거로부터(소스,근원) 우리는 선택한다.

선택할 수 있는 수많은 다른 비행편이 있다라는 점이에요.

• 목적, 용도의 (나타내는) 말 for which/for whom

196 **There are students for whom** (having) **gym class is good.**

학생들 이 학생들 위해 체조 수업이 좋다.

197 **Probably to make the delivery to whomever hired him.**

NCIS s6_ep14 00:23

= Probably to make the delivery to anyone who hired him.

그를 고용했던 누구이든지간에 (그 사람에게) 배달을 하기위해

관계사에 ever가 붙어있는 복합관계사는 이 책 마지막부분에서 다루었지만 whomever에 대해 간단히 설명하자면 ever가 안 붙은 whom에 비해 ever의 단어 뜻이 추가("든지", "이든간"에 뜻이 추가되어 "누구든지", "누구이든간에")가 되고 선행사가 포함되어 있다는 점이 다른 점인데 관계대명사 whom에서 파생된 거라서 문법적 원리가 ever가 안 붙은 관계사 whom과 동일하다라고 생각하시면 되겠습니다. → 책 마지막부분 ▲고급 스킬(심화학습) #3 복합관계사, 복합의문사 참조 바람.

(원래는 주격관계대명사가 쓰여야 할 자리이기 때문에 whoever가 사용되어야 하나 NCIS 등장인물의 대사에서는 비격식적(비문법적)으로 whomever를 사용)

팝송 한 소절
198 **<Queen - You're My Best Friend>**

…중략…

Oh, you're the best friend that I ever had

오, 너는 내가 지금까지 가진 (친구 중) 최고의 친구야

※선행사가 최상급이라 관계대명사 that(목적격)사용

199 <Tesla – love song>

…중략…

Waiting for you is this love made just for two

당신을 기다리는 것은 단지 두 사람만을 위한 (새로운) 사랑이에요

※미국 자동차회사 Tesla와 같은 이름의 밴드

명사 뒤 후치수식하는 p.p.의 경우 이 명사와 p.p.사이 주격 관계대명사(e.g. which)와 be가 생략(영문법규칙이 그러함)된 걸로 볼 수 있으므로 좀 긴 문장을 원하신다면 주격관계대명사와 be를 살리시면 되겠습니다.

주격관계대명사와 be를 살리시는 경우에 관계대명사절("~ which is made just for two(people)")에서 보시면 4형식 능동태문장(주어는 정황상 the world로 하고 make동사로 4형식문장구성으로 한다면 e.g. The world makes two people this love 세상은 두 사람한테 이 사랑을 만들어 준다)을 수동태문장으로 한 것을 볼 수 있는데 "Chapter 4. 문장의 5형식 Unit 2. 3형식과 4형식을 만들어주는 타동사" 부분에서 설명드린 "●find, make, cook, choose, buy, get동사를 사용하여 3형식 문장으로 할 경우" 전치사 for가 사용되는 것처럼 이 동사들이 사용된 능동태문장을 수동태문장으로 변환 시에도 전치사 for가 사용됩니다. 마찬가지로 ●tell, lend, bring, show, give, teach, send동사가 들어간 능동태문장을 수동태문장으로 변환시에는 전치사 to가 사용됩니다.

Chapter 8.

명사절, 부사절:
문장을 더 다채롭게 해준다

Unit 1. 명사절

명사절은 명사 역할(주어, 목적어, 보어)하는 절입니다.

※절: 주어와 동사를 각각 하나씩 포함하여 간단한 문장, 즉, 단문이 되거나 주어
와 동사를 포함하는 형태로 문장의 일부를 이루는 말이다. 이러한 절은 주절
이 될 수도 있고, 문장에서 명사절, 형용사절, 부사절의 역할을 하기도 한다.

200 **we don't know who counterfeited that money.**

NCIS s1ep03 00:20

우리는 누가 그 돈을 위조했는지 몰라요.

※명사절 간접의문문

201 **Even if it does come from a country friendly to terrorists,** (부

사절) *NCIS s1ep03 00:20*

you can't send them to gitmo. (주절)

설사 그 돈이 테러리스트에 우호적인 나라로부터 나온 것이라 해도,
당신은 그들은 gitmo에게 보낼 수 없어요.

That절

That이 이끄는 절 해석 "~하다(라고)"/"~한다(고)"

202 She thinks (that) Gym classes provide health benefits for students.

> 그녀는 생각한다 체육수업(실내체육관)이 제공한다 건강상 이점/혜택 학생들한테.
> 그녀는 체육수업이 학생들한테 건강상 이점을 제공한다고 생각한다(의역).

● 명사 바로다음 동격절(명사를 더 자세히설명하는 역할)

명사(e.g. fact, idea, likelihood, concept, notion, truth 등등) **바로 다음 나오는 동격의 that절입니다.**

203 The fact that the Earth revolves around the Sun is unchangeable.

> 지구가 태양 주위를 공전한다는 사실은 바뀔 수 없다.

🎬 What절

● 의문사what
● 관계대명사what (주격, 목적격으로 쓰임)

1의문사what(한글해석"무엇") 과 2관계대명사what(한글해석"~것")구별하는 방법은 What 다음 주어나오고 be가 나오는 구성이면 의문사절입니다.

204 **I just want to know what the problem is.**

나는 그 문제가 무엇인지 단지 알고 싶습니다.

직접의문문(What is the problem?)이 문장안에 들어가서 문장일부분이 되어 명사역할하면 간접의문문(의문사 + 주어 + 동사의 어순)이라고 합니다.

그외에 what다음 일반동사가 나오는 경우는 둘 다(의문사 what, 관계대명사 what) 다 해당됩니다(의미 차이가 있을 뿐).

205 **I don't know what I want to have.**

나는 내가 뭘 가지길 원하는지 모르겠다.
나는 내가 가지길 원하는 것을 모르겠다.

1 해석: "무엇을 가지길 원하는지"→의문사절(직접의문문은 What do I want to know "내가 무엇 알기를 원하는걸까?")로도 볼 수 있고
2 해석: "내가 가지길 원하는 것"(문장성분 주어성분 또는 목적어성분 중 하나 빠진 불완전한 모습이면 관계대명사절)으로 해석되는 관계대명사절로 볼 수 도 있습니다.

🎞 간접의문문

의문사 when,where,what,how,why,who로 시작하며 의문사 + 주어 + 동사의 어순의 말입니다.

206 **Do you know where JJangu lives?**

너 아니/알어 짱구 어디에 사는지? 짱구 어디에 사는지 알어?(의역)

207 It depends on when the baseball game starts.

그 야구경기가 언제 시작하는지에 달려있다.

208 I didn't realise, boss. How old are you? *NCIS s1_ep05 00:13*

Doesn't matter how old I am.

나는 미처 몰랐어요, boss. 몇 살이시죠?

내가 몇 살인지는 중요하지 않아.

209 But I always knew when he was in the middle of something.

NCIS s11_ep07 00:12

그러나 나는 항상 그가 언제 뭔가 (한 창) 하고 있는 중이었는지를 알았다.

210 Why didn't he pull it? *NCIS s2_ep02 00:05*

- Hey, look who I found.

왜 그가 그것을 당기지 않았지?

내가 누굴 찾았는지 보세요.

※ how + 형용사 + S + be-v + to-v (감탄, 강조시 표현하는 방식)

e.g.

211 You are gonna realize how difficult it is to earn money.

돈을 버는 것이 얼마나 어려운지를 깨달을 것이다(earn money:돈 벌다).

212 Why did you assume I had no idea how bad it was gonna be?

NCIS s1_ep04 00:06

당신은 얼마나 안 좋게 될 거라는 거 왜 내가 몰랐다고 넘겨짚어요?

🎬 if/whether 절

타동사다음 if/whether 절이 나오는 경우입니다.

Know("알다"), Ask("묻다"), Wonder("궁금하다"), See("이해하다"), Think("생각하다")

암기법 두문자 **KAWST**, if/whether 다음 A or not이 나오는 경우 → "~인지/아닌지"로 한국말해석, if/whether 다음 2개의 대상 A or B가 나오는 경우 → "A인지 B인지"로 해석하면 됩니다.

If는 보어 역할하는 절 또는 문장 앞에서 주어 역할하는 절을 이끌 수 없습니다("~인지/아닌지" 의미의 명사절이 끄는 whether를 사용해야 함).

213 **Whether JJangu goes to school or not depends on his physical condition.**
짱구가 학교에 가는지 안 가는지는 그의 몸 상태에 달려있다.

If가 문장 맨 앞에 나오는 경우"~인지/아닌지"의미가 아닌 "~경우/~라면"으로 해석되는 조건부사절이 됩니다.

214 **see if their paths crossed.** *NCIS s11_ep16 00:15*
Where is DiNozzo?
그들의 경로가 교차하는지(아닌지) 보자.
DiNozzo는 어디에 있어?

215 If JJangu goes to school, We will be happy.

학교에 가는지 아닌지 (X)

짱구가 학교에 가는 경우/간다면 (O), 우리는 행복할 것이다.

216 The point is that whether I'm in here or not, there's always

someone else. *NCIS s10_ep14 00:30*

중요한 건(핵심은) 내가 여기에 있느냐 아니냐 여부인 거야, 항상 다른 누군가

가 있어.

리딩 · 영문법 편

Unit 2. 부사절 부사역할하는 절

🎬 조건 부사절

조건접속사 if(①~경우에,②~라면)+ 주어 + 서술어, unless(if~not,
①~아닌 경우에, ②~하지 않으면, ③~아니라면) + 주어 + 서술어

※ 해석우선순위 if(①~경우에,②~라면) , unless(if~not, ①~아닌 경우에, ②~하지 않으
면, ③~아니라면)

217 Unless we find someone familiar with the Paulson case,

NCIS s4_ep02 00:23

it'll take us days just to catch up to speed.
폴슨 사건을 잘 아는 누군가를 찾지 않는다면
수일 걸릴 거에요 속도 나기까지.

215 If JJangu goes to school, We will be happy.
짱구가 학교에 가는 경우(간다면), 우리는 행복할 것이다.

🎬 양보 부사절(Consession adverbial clause)

Although, even though 등이 양보부사절을 이끄는 접속사인데
양보(consession)의 의미는 "주절과 대비/대치/반전되는 내용이 있음
을 인식/인정한다"로 이해하시면 되겠습니다.

접속사 + 주어+ 서술어

218 Although he was rich, he was unhappy.

그가 부자였다 할지라도, 그는 행복하지 않았다.

긍정적/유리한 상황 → 반전의 상황/결과(부정적/불리한 상황)
부정적/불리한 상황 → 반전의 상황/결과(긍정적/유리한 상황)
   주절   부사절
   부사절,   주절

219 Although the letters may appear to be very different,

NCIS s4_ep20 00:16

The writing style is nearly identical in all three.

글자들이 매우 다른 것처럼 (충분히) 보인다 해도.
서체는 이 세 개 모두에서 거의 동일하네.

Even + if
Even if ~라도

220 Even if he googled something, he would get misinformation.

NCIS s9_ep16 00:31

그가 구글검색으로 뭔가 찾았어도, 잘못된 정보를 얻었을 거야.

🎬 이유 부사절 because, since, as,

221 You should leave now, because Mr. Reardon here.

NCIS s9_ep17 00:31

당신 지금 떠나야 해요. 왜냐면 Mr. Reardon이 여기 있으니까요.

222 what made you decide to focus your talents elsewhere?

NCIS s9_ep20 00:23

Well, since I chose not to be a wife

뭐가 당신으로 하여금 당신 재능을 딴 데 집중하게 하였지?
왜냐면 와이프 안 되기로 선택(결심)했으니까.

🎬 so 형용사/부사 that구문에서의 부사절 that

so 형용사/부사 that ~

     ↑

※원인을 나타내는 내용(부분)
※결과를(결과내용을) 나타내는 부사절을 이끄는 that

223 And the mascots are so beloved that they're enlisted.

NCIS s8_ep11 00:15

마스코트들 너무 사랑받아서(마스코트들을 너무 아껴서) 그들은 군 입대시키게
된 거야.

🎬 목적을 나타내는 부사절인 so that절 (so that may(can) ~ , ~할 수 있도록/ ~할 수 있게끔)

224 Agent McGee, help me turn him, so that Agent David can take a look. *NCIS s8_ep14 00:05*

McGee 나를 도와주게 그를 뒤집는 거 David 요원이 볼 수 있게.

🎬 시간 부사절

시간 접속사 when, before, after, while, until, as soon as, as, etc + 주어 + 서술어

225 I'll get to you when I'm ready. NCIS s8_ep14 00:08

내가 준비될 때 당신한테 갈게요.

226 I'm giving my resignation to the President as soon as this is over. *NCIS s8_ep24 00:32*

이거 끝나자마자 나는 내 사직서 대통령께 제출할 거야.

227 They never change security until it's too late.

NCIS s3_ep24 00:28

너무 늦은 후에 보안을 바꾸지(보안을 강화하지) 소 잃고 외양간 고친다.

until을 after로 단어를 바꾸고 주절에서 부정어를 뺀 해석방법으로도 해보시기 바랍니다.

▲ 고급 스킬(심화학습) #2 문장에 부정어가 두 개 있는 경우

문장에 부정어가 두 개 있는 경우 긍정문으로 생각하시면 됩니다
(부정+부정=긍정).

228 We can't say that a beautiful flower exists on the Earth
unless we see it.

= *229* We can't say that a beautiful flower exists on the Earth
without seeing it.

우리가 아름다운 꽃을 볼 수 없는 경우(볼 수 없다면) 우리는 지구상에서 아름
다운 꽃이 존재한다고 말 할 수 없다.

이 문장 can't의 not과 unless(if~not)의 not을 상쇄시키면 긍정문
이 됩니다.

230 The masterpiece of art is useless unless if it is perceived
and appreciated by people.

그 미술 대작은 사람들에 의해 인식되고 가치 인정받지 않는다면 쓸모없다.
=그 미술 대작은 사람들에 의해 인식되고 가치 인정받는 경우 쓸모있다.

독해하실 때 이 패턴의 문장 만나시면 부정어 두 개를 살린 한국
말 해석과 더불어 부정어 2개가 상쇄된 긍정문의 한국말 해석 둘 다
해보시는 걸 권고드립니다.

231 <mika - we're golden>

We are not what you think we are

We are golden, we are golden

We are not what you think we are

We are golden, we are golden

우리는 당신이 생각하는 우리가 아닙니다
우리는 golden입니다, 우리는 golden입니다
우리는 당신이 생각하는 우리가 아닙니다
우리는 golden입니다, 우리는 golden입니다

※"~ what you think we are" 설명

than(우열 비교급에서), that(관계대명사), what(관계대명사,의문사) 바로 다음 삽입절 (I/We/They/You + 인식동사think,feel,believe, etc 로 구성) 나오고 그 다음 주어 + 서술어 나오는 표현방식인데 삽입절구성의 두 단어(e.g. 231 예문 "you think")를 한 세트(덩어리)로 보시면 되고 독해시 보시게 되면 괄호 ( ) 표시하여 이 삽입절을 문장에서 구분표시하여 인식하시기 바람(한국어에서도 비슷하게 얘기하는 경우가 있음 e.g. "애완동물은 내가 생각하기에 고양이(강아지/개)가 최고다"), 혹시 가능하시다면 미드에 빠지면 토플이 풀린다 1권 Day 39의 예문(삽입절"they feel"포함된 예문인 미드 scene 39-1)도 참조하시기 바랍니다.

232 <Jessica Simpson - Where You Are >

Now baby there were times

when selfishly

I'm wishing that you

were here with me

그런 시절이 있었어 이기적으로 내가 당신이 나와 여기에 함께있기를 소망하는

Chapter 9.

가정법:
내가 너라면
(If I were you)

이 표현방식의 문법적 구조는 현재시점 기준으로(가정법과거), 과거시점 기준으로(가정법과거완료) 기정사실(팩트) 또는 이미 발생사건에 기반하여 기정사실(팩트)과 반대 혹은 다른 상황을 상상하거나 절대로 일어날 수 없는 비현실적인(불가능한) 상황을 기술, 표현할 때 사용합니다.

현재 사실(팩트) 반대로 혹은 다르게 기술,표현하는 방식은 문법용어로는 "가정법과거"라고 하며

과거 사건, 사실(팩트) 반대로 혹은 다르게 기술, 표현하는 방식은 문법용어로는 "가정법과거완료"라고 합니다.

🎞 가정법 과거, 가정법 과거완료의 모습

- **가정법 과거**

  If 주어 + 서술어(동사 과거형), 주어 + would/could/might + 동사원형

- **가정법 과거완료**

  If 주어 + 서술어(had + p.p.), 주어 + would/could/might + have + p.p.

⊛ 어감

가정법표현방식으로한다면 부인할 수 없는(거스를 수 없는) 기정사실(팩트)가 존재하고 문장을 말하는 사람이 개인적으로 연관되는 일 또는 개인적으로 안타까운 일에 있어서 "어쩔뻔했어"라고 말하는 경우처럼 매우 안도, 다행, 안타까움(후회)을 표현할 때 많이 사용되는 표현방식입니다.

가령 영화 "육사오(6/45)" 시작부분

근무초소에서 야간 근무중인 말년병장 (극중인물 천우) 실수로 대박난 로또(57억 1등 당첨) 종이가 바람에 군사분계선 넘어 북한으로 날아가 버립니다. 이 얼마나 하늘이 무너지는 듯한, 망연자실한, 안타까움. 물론 로또 종이를 찾아오기 위해 우여곡절… 북한 병사를 만나 협상할 일도 었었을 텐데요. 결말은 비교적 해피엔딩으로 끝나지만요. 이 상황에서 가정법 문장으로 너무 안타까운 마음(후회)를 말할 수 있겠죠.

내가 로또 놓치지 않았었더라면 다시 찾기 위해 고생 안 했을 텐데요(사실 그렇지 않았었지만).

233 If I had not lost my grip on the lottery ticket(로또), I would not have a hard time taking it back.

※ "사실 그렇지 않은데"란 말을 습관적으로 가정법영어문장 한국말해석과 같이 항상 의식적으로 함께 머릿속으로 떠올리거나 속으로 또는 작은 목소리로 속삭여봅니다. 영어시험 가정법관련 문제풀 때 도움이 됨

234 Well, truth is, Abbey would have detected it if I hadn't interrupted her. *NCIS s01_ep01 00:36*
진실은 Abbey가 그것을 발견했었겠지 내가 그녀를 막지않았었더라면(사실 그렇지 않았었지만).

"6시간 후 너는 죽는다"(영화)의 경우 힘겹게 삶을 살아가는 주인공(극중 인물 정윤)한테 갑자기 마주친 낯선 남자(상대배역, 극중 인물 준위)가 말하길 "내가 너라면 지금부터 널 죽일만한 사람을 찾을 거야" 이 경고가 실제로 일어나자 정윤은 진짜로 자신을 죽이려는 사람을 찾아 나서게 되는데 "내가 너라면(사실 그렇지 않지만) 지금부터 널 죽일만한 사람을 찾을 거야"를 영어문장으로 한다면 다음과 같습니다.

235 If I were you, I would find someone to kill me from now on.

236 That's because you're a woman, who's on her way to Tel Aviv. If you were a man... *NCIS s06_ep05 00:03*
그건 당신이 여자이기 때문이에요 Tel Aviv로 이동중인. 당신이 남자라면(사실 그렇지 않지만)...

※Tel Aviv→이스라엘 수도

"단순조건절+주절" 구성의 문장은 일상적, 보편적, 상식적이며 일상생활에서 사람들한테 흔히 나타나는 거다라는 어감을 내포하며 편하게 일상적으로 그런 상황에서는 보통 그렇게 한다라는 상식적인 내용을 나타내려는 의도의 경우에 단순조건 + 주절 표현방식을 사용한다고 보시면 됩니다.

가정법 과거/과거완료 문장의 if("~면,~이면,~하면" 이 말을 들어가게 해석)해석과 구분하기 위해 단순조건+주절의 문장에서 if의 해석을

"~경우"로 해주시면 좋겠습니다(또는 우선적으로 "~경우"로 해주시고 필요시 "~라면"으로 해주시면 좋겠습니다).

※어떤 책에서는 현재시제의 "단순조건절+주절"의 문장을 가정법 현재라고 함

● 가정법과거 vs. "단순조건절+주절" 문장

표현방식	시점	확실/불확실여부	어감
가정법과거	현재	확실	개인적/특정적 내용
단순조건절+주절	미래 또는 과거(→239 예문)	불확실	일상적/상식적 내용

237 If it rains, I will stay home.

미래에 비가 오는 경우(단순조건), 집에 머무를 거야(비가오면 보통 (일반적으로/상식적으로/으레) 집에 머무르는 거지).

※ 미래에 비가 내릴지 안 내릴지 불확실성 있음, 비가 오는 경우 상식선에서 일반적으로 이런 행위를 하겠다라고 말하는 경우
※ "단순조건절+주절"의 문장은 진리(상식적임)를 나타내는 문장에서도 사용됨 (e.g.물이 섭씨 100에 이르는 경우 끓기 시작한다)

vs.

238 f it rained, I would probably stay home.

비가 온다면(사실그렇지 않지만), 나는 아마 집에 머무를거야.

"비가 온다면(사실 실제 팩트는 그렇지 않음, 현재 비 안 오는 게 확실)" → 현재시점(지금 현재 순간의 시점)에서 확실히 비가 안 온다는 사실이 내포되었으며 현재상황과 반대로 가상상황을 상상하는 것인데 다음의 ① 또는 ②로 볼 수 있습니다. ①사실 그렇지 않지만 비가

오는 상황이라면 어떻겠다/어떻게하겠다(감정이나 행위측면에서) ②
화자 개인적으로 비와 관련하여 어떤 영향이 있을 수 있고 좀 신
경쓰이는 특정적 사안이라는 의도의 문장.

가정법과거 표현방식 대신 "단순조건절+주절"의 표현방식으로 한
다면 원래 비 오는 경우 보통 평상시 많은 사람들이 그렇듯 상식적
으로, 일상적으로, 순리적으로 "집에 머무르는 게 국룰이지(진리이
지)"라고 그냥 편하게 가벼운 의도로 얘기(집에 머무를 거야 → 상식이
반영된 주어의 의지)

239 Either the staging of 'Hamlet' was never filmed or if it was (filmed), the film has been lost. So it doesn't exist.

> 햄릿(연극)의 (무대)상연은 촬영되지 않았거나(필름에 담기지 않았거나) 만약 촬
> 영되었을(필름에 담겼을)경우 그 (촬영)필름은 분실되었다. 그래서 그것(연극상
> 연 녹화필름)은 존재하지 않는다.

※ 가정법 과거의 문장은 아니며(if절안 were가 아닌 was이며, 주절의 서술어부분을 봐
도 알 수 있음→The film has been lost), 과거시제의 단순조건절+주절(→if it was 불
확실성이 내포되어 있음, 사실여부확인 안됨)

정리하자면 개인적 특수성의 상황인 경우의(개인적 특수성의 의도로
말하는) 방식은 가정법과거, 편하게 일상적으로 얘기하실 때는 단순
조건+주절의 표현방식으로 하시면 되겠습니다.

🎬 가정법 미래

미래시점 기준으로 절대로 미래에 일어날 수 없다(if절안 were to사용)라는 어감을 내포한 내용을 가정할 때 사용합니다.

If the Sun were to rise in the west, 해가 서쪽에서 뜬다면(진리이며 과학적으로 객관적으로 그럴리없지만)

(If절안 were to대신 should를사용한다면 미래에 일어날 수 없다고 객관적이 아닌 개인적(주관적)으로 판단한다는 어감을 내포하는 것임)

240 If someone should be here, tell him/her to call me.
누군가 여기 방문한다면 나한테 전화하라고 하세요(주관적으로 "그럴리 없겠지만" 어감).

241 If this were to go to court (right now)**, DiNozzo would not stand a chance.** *NCIS S3_ep09 00:16*
이게 법원으로 간다면(객관적으로 봤을 때 절대 그럴 일 없다), DiNozzo는 승산이 없을거야

🎬 가정법(as if 가정법, I wish 가정법 과거(많이 쓰이는 용법위주))

242 The man talks as if he is a millionaire.

→ *직설법문장(주절과 as if절 둘 다)*

= The man talks like he is a millionaire.
(현재) 그 남자는 마치 그가 백만장자인 경우처럼 얘기한다.

※ 가정법이 아닌 직설법문장이라서 as if대신 like("~처럼")로 대체하는거 가능

as if에서 as는 "~같은","~인양", "~처럼" 어감이 내포되나 이때 직설법의 조건절 if해석은 "경우"로 먼저 우선적으로 하시는 걸 권고합니다.

243 The man talked as if he was a millionaire.

→ *직설법문장(주절과 as if절 둘 다)*

= The man talked like he was a millionaire.

(과거) 그 남자는 마치 그가 백만장자인 경우처럼 얘기하였다.

※as if he is a millionaire

그가 백만장자인 경우처럼

(정말로 백만장자인지 아닌지 사실여부 확인 안 되고 좀 편하게 일상적으로 말할 때 많이 생각 않고 말할 때 as if 단순조건절을 이용함)

※as if he was a millionaire(과거시제의 문장)

그 남자가 말하는 과거시점에 그가 백만장자인 경우처럼

(정말로 과거 그 남자가 말했던 시점(그 순간)에 백만장자인지 아닌지 사실 여부는 확인이 안 되고 단지 좀 편하게 일상적으로 그 남자는 그런 식으로 말했었다라고 화자가 많은 생각 없이 편하게 말할 때 as if 단순조건절을 이용함)

244 The man talks as if he were a millionaire.

그 남자는 그가 백만장자인 것처럼 말한다(사실 그렇지 않지만).

The man talks   as if he were a millionaire.

(직설법)   (가정법)

if절의 안을 보니 서술어부분이 were로 되어있는데 가정법과거의 if절 표현방식입니다.

가정법이니 확실하게 팩트가 존재하는 것이고 이 팩트에 대해 다르게 혹은 반대로 상상하는 것입니다.

주절의 시제가 현재이므로 현재시점을 기준으로 그 시점과 동일한 시점인 현재에 백만장자이다라는 듯이 말한다라는 의미입니다.

※as if he were a millionaire

　그가 백만장자 인 양(사실 그렇지 않지만, 백만장자로 빙의, 인위적)

　(as if 가정법(과거)로 한다면 사실 그렇지 않지만 그가 백만장자가 아닌거 확실함, fact임 정말로 백만장자인 가능성 없음 → 가정법을 사용하면 팩트의 본질이(실체가) 강조되는 효과가 있음

as if절에 가정법표현방식이 쓰였다라는 건 팩트가 있는데 이 팩트에 대해 다르게 또는 반대로 가정/상상한다라는 기본전제가 깔려 있는것입니다. 역으로 말하면 팩트와 다르게 또는 반대로 가정/상상하는 말을 하고 싶으면 were나 had been을 사용하면 되는 것입니다. were를 사용하면 기준시점과 동일한 시점에서 팩트와 다르게 또는 반대로 가정/상상하는 것이고 had been을 사용하면 기준시점보다 더 앞 선 시점에서 팩트와 다르게 또는 반대로 가정/상상하는 것입니다.

245 **The man talks as if he had been a millionaire.**

그 남자는 그가 백만장자였던 것처럼 말한다(사실과 다르지만)

The man talks　**as if he had been a millionaire.**

　　(직설법)　　　　　　　　　(가정법)

if절의 안을 보니 서술어부분이 과거완료로 되어있는데 가정법과거완료의 if절 표현방식입니다.

가정법이니 팩트가 존재하는 것이고 이 팩트에 대해 다르게 혹은 반대로 상상하는 것입니다.

주절의 시제가 현재이므로 현재시점을 기준으로 과거로 거슬러 올라가 옛날(과거(e.g. 1년전))에는 백만장자였다라는 듯이 현재 말한 다라는 의미입니다.

246 The man talked as if he were a millionaire.

그 남자는 그가 백만장자인 것처럼 말했다(사실과 다르지만)

The man talked   **as if he were a millionaire.**
(직설법)   (가정법)

if절의 안을 보니 서술어부분이 were로 되어있는데 가정법과거의 if절 표현방식입니다.

주절의 시제가 과거이므로 과거시점을 기준(그가 말했던 과거의 시점 e.g. 1년전)으로 그 시점과 동일한 시점(1년전)에 백만장자였다라는 듯이 말했다라는 의미입니다.

247 The man talked as if he had been a millionaire.

그 남자는 그가 백만장자였던 것처럼 말했다(사실과 다르지만)

The man talked   **as if he had been a millionaire.**
(직설법)   (가정법)

if절의 안을 보니 서술어부분이 과거완료로 되어있는데 가정법과 거완료의 if절 표현방식입니다.

주절의 시제가 과거이므로 과거시점을 기준(그가 말했던 과거의 시점 e.g. 1년 전)으로 더 과거로 거슬러 올라가

하나 더 옛날(하나 더 이전 시간 즉 대과거(e.g. 5년전))에는 백만장자 였다라는 듯이 말했다라는 의미입니다.

스피킹시 as if 이용하여 말하는 경우도 일단 기본(우선)적으로 직설법 문장으로 말하시길 바라며(242, 243문장처럼) 팩트를 강조한다든지 사실 여부 확인 불가한 상황에서도 의도적으로 좀 더 세게 얘기하고 싶으시면 as if 가정법문장을 구사하시기 바랍니다.

248 I wish my dad lived closer than he did.

NCIS S12_ep20 00:24

아버지가 옛날보다 더 가까이 살고 계시면 좋을 텐데(사실 그렇지 않지만)

I wish	my dad lived closer than he did.
(직설법)	(가정법)

※ 과거동사(lived)가 사용되었으므로 가정법 과거임

가정법관련하여 혹시 가능하시다면 미드에 빠지면 토플이 풀린다 1권 Day 62 if it were not for~ 를 참조해주시면 감사하겠습니다.

팝송 한 소절

249 <slaughter – days gone by>

…중략…

I wish I could stop the hands of time between us.

우리 사이의 시간의 분침(초침)을 멈출 수 있으면 좋겠어요.

※ I wish 가정법(과거) → I wish 가정법(과거)의 경우 "I wish I stopped the hands of time between us(과거동사stopped)"보다는 I wish 다음 could가 보통 많이 사용됨)

▲고급 스킬(심화학습) #3 복합관계사, 복합의문사

관계사와 의문사로 사용되는 when, where, who, what, how, why, which에 ever가 붙은 형태로 when, where, who, what, how, why, which에 비해 단어 뜻이 달라지고 보통 문장의 문두에 나오면 부사구를 이끄는 역할을하며("문제될 것없이",="상관없이",="regardless of"의 뜻을 갖는 no matter로 시작하는 어구로 변환되며 no matter로 시작하는 어구로 변환된 말도 이해해야 함) 문장에서 주어, 목적어 역할을 하는 절을 이끄는 경우는 부정대명사 anything, anyone 라든지 any + 명사가 나타나는 형태로 변환됩니다.

복합관계사(의문사)를 보시게 되면 no matter와 any + 명사(또는 anyone, anything) 두 가지를 떠올리시기 바라며 문장의 해석과 문장구조를 통해서 부사(no matter로 시작하는 어구)로의 쓰임과 명사절(주어,목적어)이끄는 쓰임을 구분하시기 바랍니다. 문장을 보았을 때 복합관계사(의문사)로 시작하는 어구 다음 쉼표 표시가 있고 no matter가 들어가는 어구로 변환해서 해석해야 하는 경우라고 판단되는 경우라면 분명히 부사(구)역할을 하는 것입니다(부사, 부사구로 시작하는 문장에서 부사,부사구 다음에 쉼표표시가 있는 것처럼).

No matter로 시작하는 부사구로 변환한 내용을 떠올리셔야 하고 해석도 이에 맞추는게 중요합니다.

• 복합관계사, 복합의문사 종류

관계사/의문사종류	문장에서 역할		복합관계사(의문사)
when	관계부사	**+ ever**(해석 "든지 상관없이","이든간에 상관없이", "어느", "어떤", "어디든", "누구든지",etc)	whenever
	의문사(부사)		
where	관계부사		wherever
	의문사(부사)		
who	의문사(명사)		whoever
	관계대명사 주격		
Whom ※ 비격식적으로 whom대신 who쓰기도함	의문사(명사)		whomever ※197 예문참조
	관계대명사 목적격		
what	의문사(명사)		whatever
	관계대명사 주격,목적격		
	형용사(해석"어떤","무슨") e.g. what problem		
how	관계부사		however
	의문사(부사)		
why	관계부사		whyever는 없음
	의문사(부사)		
which	관계대명사 주격,목적격		whichever
	의문사(명사)		
	형용사(해석"어느") e.g. which problem		

250 **Whatever you do, do it well.**

   =No matter what you do, do it well.

   네가 하는 것에 상관없이 잘해라.

※"No matter + what절, 주절"의 구조

① 관계대명사 what(목적격)에서 파생된 whatever로 보는 경우

네가 하는 것이   에 상관없이(=No matter)
    ↑   ↑
관계대명사 what("~것")의 해석   ever 해석부분

② 의문사what에서 파생된 whatever로 보는 경우

네가 무얼 하든 간에 상관없이 잘해라.
(=No matter what you do)
네가   무얼   하든 간에 상관없이(No matter)
    ↑   ↑
의문사 what("무엇")의 해석   ever 해석부분

251 **Whatever their type may be, heroes are altruistic people who carry out extraordinary acts.**

= **No matter what their type may be, heroes are altruistic people who carry out extraordinary acts.**

그들의 타입이 뭐든간에 (상관없이) 영웅들은 비범한 행동을 하는 이타적인 사람들이다.

의문사 what에서 파생된 whatever이며 의문사 what('무엇')의 해석이 적용되었는데 ch 8에서 의문사 what(한글해석 '무엇') 과 관계대명사 what(한글해석 '~것') 구별하는 방법을 참조하시길 바랍니다.

252 Whatever I may have said about him, what I said does not apply to you.

= No matter what I may have said about him, what I said does not apply to you.

내가 그에 관해 뭐라고 말했든지 간에 (상관없이), 내가 말했던 것은 너한테 적용되지 않는다.

→ 의문사 what에서 파생된 whatever로 본 경우의 해석

내가 그에 관해 말했던 것이 무엇이든지 간에 (상관없이), 내가 말했던 것은 너한테 적용되지 않는다.

→ 관계대명사 what(목적격)에서 파생된 whatever로 본 경우의 해석

253 I will give you whatever you need.

= I will give you anything that you need

필요로 하는 것 어떤거든 → (관계대명사what + ever)로 해석

※ whatever가 이끄는 절이 문장에서 명사역할(253 예문에서는 명사역할 중 목적어 역할)인 경우 관용적(습관적)으로 의문사what이 아닌 관계대명사 what에서 파생된 whatever로 봄(ever가 붙지 않은 기본형태인 what이 의문사가 아니고 관계대명사로 보는 것임)

254 Whatever captures your own moments is good.

= Anything that captures your own moments is good.

너만의 순간을 포착하는 것은 좋은 것이다.

※주어와 서술어(동사)의 수일치조심 주어가 moments가 아니고 whatever절이라 is가 사용됨

255 You can go wherever you like.

= You can go to any place that you like.

네가 원하는 자리 어디든 갈 수 있다.

256 Whatever problem you name, you can also name some technological solutions.

= No matter any problem you name, you can also name some technological solutions.

네가 이름대는 어떤 문제라도 (상관없이), 너는 기술적인 해결책의 이름을 또한 댈 수 있다.

257 You can play whatever game you like.

= You may play any game that you like.

당신이 좋아하는 어떤 게임이든 실행할 수 있어요.

258 Whichever you select, you will be happy.

= No matter which you select, you will be happy.

당신이 어떤 걸 선택하든지간에 (상관없이) 당신을 행복할 거예에요.

259 Take whichever you want.

= Take anything that you want.

당신이 원하는 어떤 거든 가지세요.

260 However hard we do it, we can't get an A+ in biology.

= No matter how hard we do it, we can't get an A+ in biology.

우리가 얼마나 열심히 하든 (상관없이), 생물학에서 A+를 받을 수 없다.

※의문부사 how에서 파생된 however

261 **However we do it, we can make it.**

= **No matter** (the way) **how we do it, we can make it.**

우리가 그것을 하는 방식이 어떻든(상관없이), 우리는 해낼 수 있다.

※관계부사 how에서 파생된 however

262 **Wherever I work, I'll do my best.**

= **No matter where I work. I'll do my best.**

어디서 일하든 (상관없이), 나는 최선을 다할 것이다.

263 **Sit on wherever you like.**

= **Sit on any place you like.**

좋아하는 자리 어디든 앉아요.

264 **I will work wherever i can get paid more than now.**

= **I wi/l work at any place where I can get paid more than now.**

지금보다 더 많이 급여를 받을 수 있는 곳(회사) 어디든지 일 할 것이다.

265 **I will give this present to whoever arrives first.**

= **I will give this present to anyone who arrives first.**

나는 가장 먼저 도착하는 사람 누구든지 이 선물을 줄 것이다.

혹시 복합관계사, 복합의문사가 어렵게 느껴지시는 분들은 다른 건 몰라도 문장 해석하실 수 있으면 되고 스피킹,라이팅시에는 아래 팝송 한 소절에서의 Wherever you are, Whatever it takes, No matter how far(=however far)의 3개 정도 레벨로 구사하실 수 있으시면 되겠습니다.

팝송 한 소절

266 <Dream Theater – I walk beside you>

···중략···

I walk beside you

Wherever you are

Whatever it takes

No matter how far

나는 당신 옆에서(곁에서) 걷습니다

당신이 어디에 있든지

필요한 것은 뭐든지(무슨 대가를 치르더라도)

아무리 멀리 있어도